ナカムラクニオ

集英社

はじめに――〈こじらせ〉という名の再生可能エネルギー

スイスの彫刻家アルベルト・ジャコメッティは、こんな言葉を遺している。

「美には、傷以外の起源はない」

何らかの出来事によって生まれた傷こそが、すべての偉大な芸術を生むとジャコメッティは考えたのだ。とりわけ、恋愛をこじらせ、傷ついた精神は、魔法のように芸術家の創作をかき立てる。

芸術を歴史の流れや概念で読み解くことは多い。しかし、そのような視点で見落としがちなのが、実は最も重要な起爆剤とは、芸術家の人生における「恋愛体験」なのだということだ。『赤と黒』で知られる19世紀フランスの小説家スタンダールが、幸福の追求において最もこだわったのも「恋愛」だった。彼は35歳の頃、ミラノでマティルデ・デンボウスキーというポーランド人将校の妻であった女性に激しい恋心を抱いた。約3年間続いた片想いは実ることはなかったが、彼はこの「こじらせた恋愛」によって自分自身がどのような感情を味わったのかを観察し、執筆をはじめた。スタンダールは自分の中に生まれる複雑な感情を分析するにあたり、古今東西の様々な文献を参照し、多角的な視点で分析した。偉大なる思想家たちの考えを学び、「こじらせ」を個人の気質、気候、政治制度や教育と関連付け、幅広い考察を行ったのだ。そして、恋愛感情が生まれる時に発生するのは「結晶化作用」だとして『恋愛論』をまとめた。スタンダールはこの本で、恋愛には「情熱恋愛、趣味恋愛、肉体的恋愛、虚栄恋愛」の4種類ある、と書いている。芸術家に当てはめてみよう。

Ⓐ「情熱恋愛」型……ピカソ、ゴッホ、ローランサンなど、自由奔放に恋をし続け、それが作品と強く結びついているタイプ。

Ⓑ「趣味恋愛」型……クリムト、エゴン・シーレ、フジタなど、作品に取り込むためのモチーフ探しで恋をするタイプ。

Ⓒ「肉体的恋愛」型……官能的な造形美を追求し激しい恋愛を繰り返したロダン、娼館（しょうかん）通いにハマりすぎたロートレックなど。

Ⓓ「虚栄恋愛」型……有力な画家の娘と結婚し宮廷画家となったベラスケス、パトロンの貴族と恋人関係になることで多くの仕事を成したラファエロなど。

これは実に興味深い研究テーマだと思う。結局のところ、芸術家の恋愛における「こじらせ」とは、地球環境に対して負荷の少ない、自然界の再生可能エネルギーのような画材なのかもしれない。「こじらせ」は、太陽光、風力、地熱のように、どこにでも存在している。しかも、地球上に人間がいる限りなかなか枯渇しない資源だ。「こじらせ」はこの先も、偉大な芸術を生み出し続けるだろう。

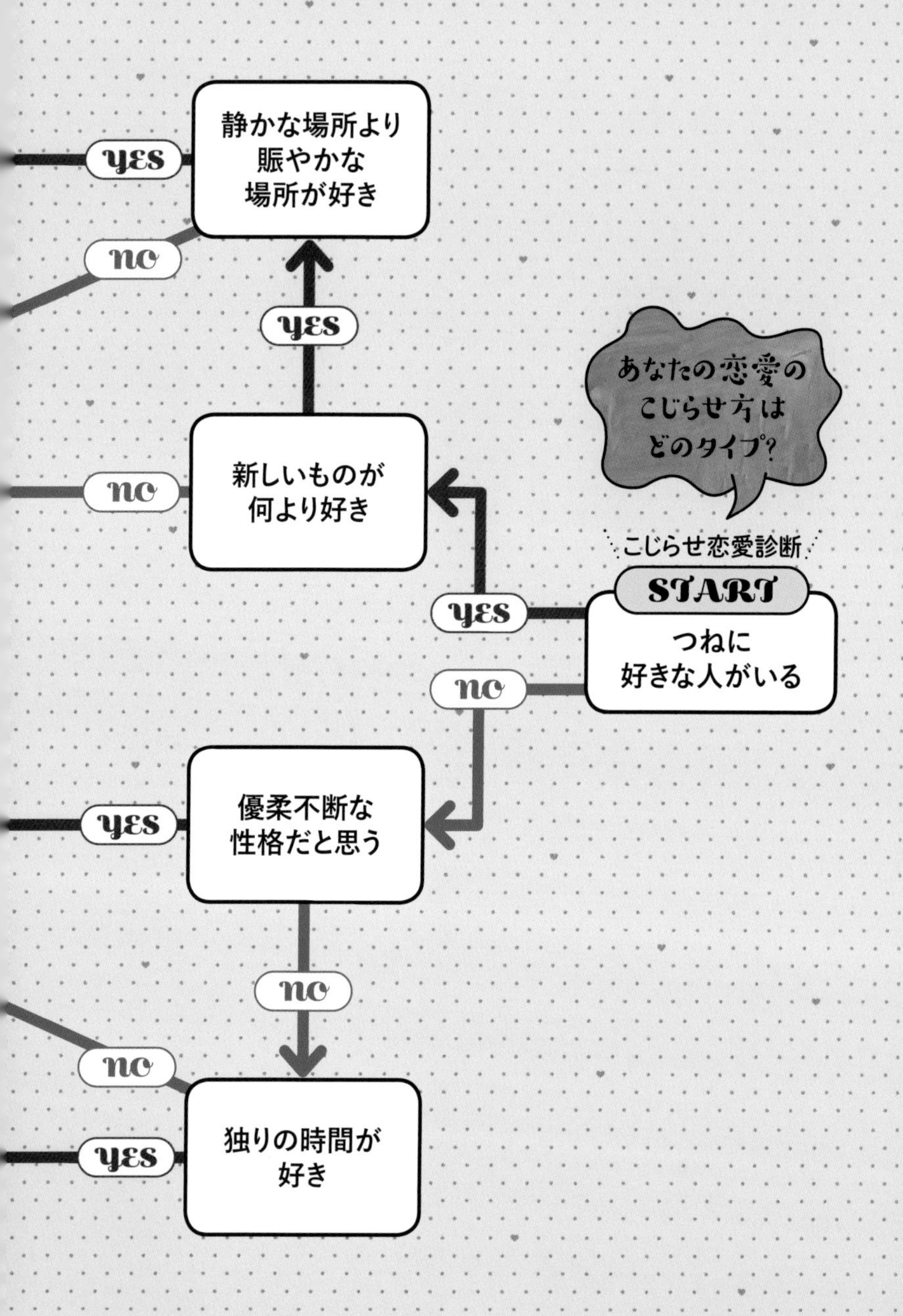
あなたの恋愛の
こじらせ方は
どのタイプ？
こじらせ恋愛診断
START
つねに
好きな人がいる
YES
NO
新しいものが
何より好き
YES
NO
静かな場所より
賑やかな
場所が好き
YES
NO
優柔不断な
性格だと思う
YES
NO
独りの時間が
好き
NO
YES

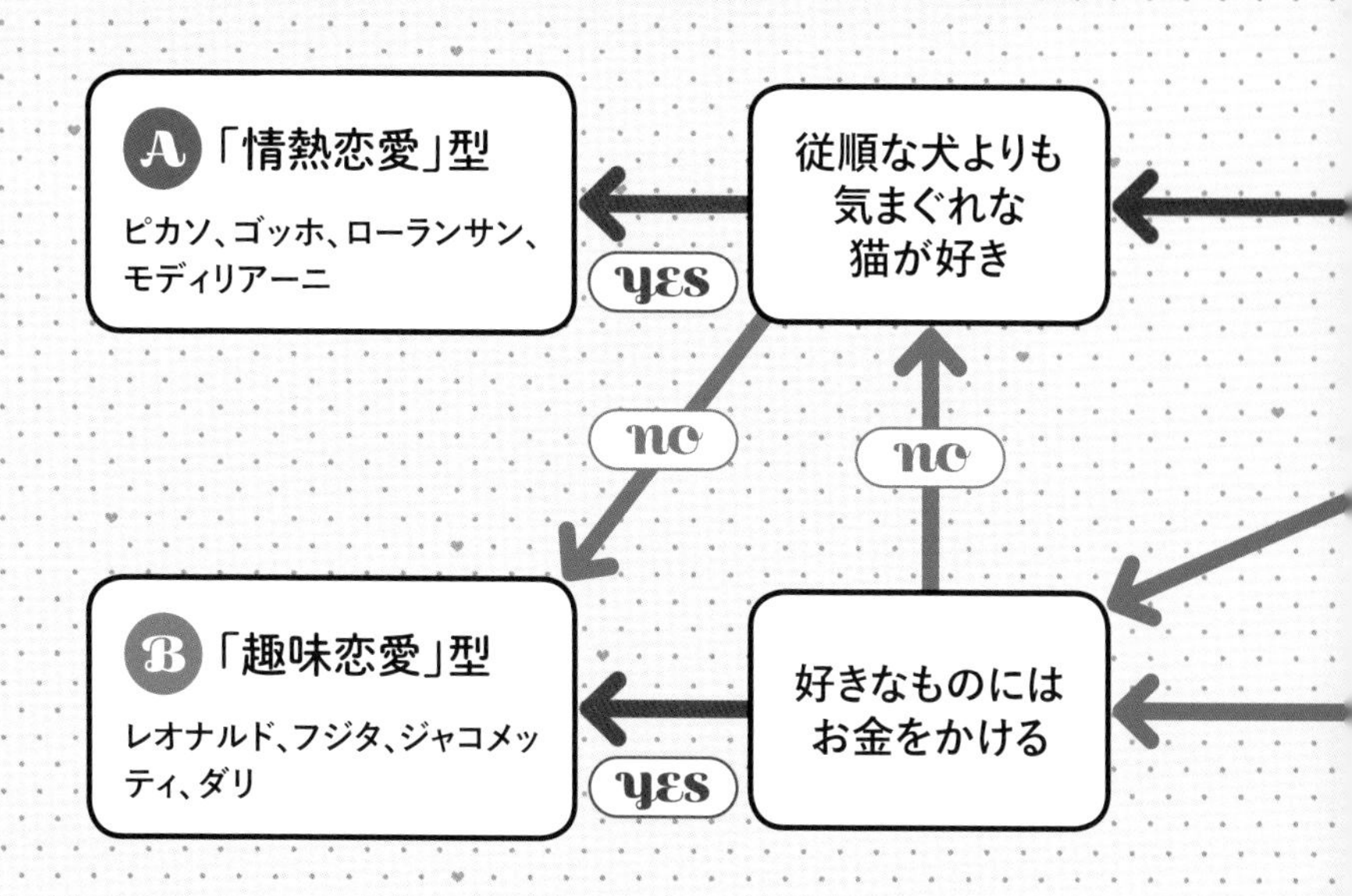
A「情熱恋愛」型
ピカソ、ゴッホ、ローランサン、モディリアーニ
YES
従順な犬よりも気まぐれな猫が好き
NO
NO
B「趣味恋愛」型
レオナルド、フジタ、ジャコメッティ、ダリ
YES
好きなものにはお金をかける

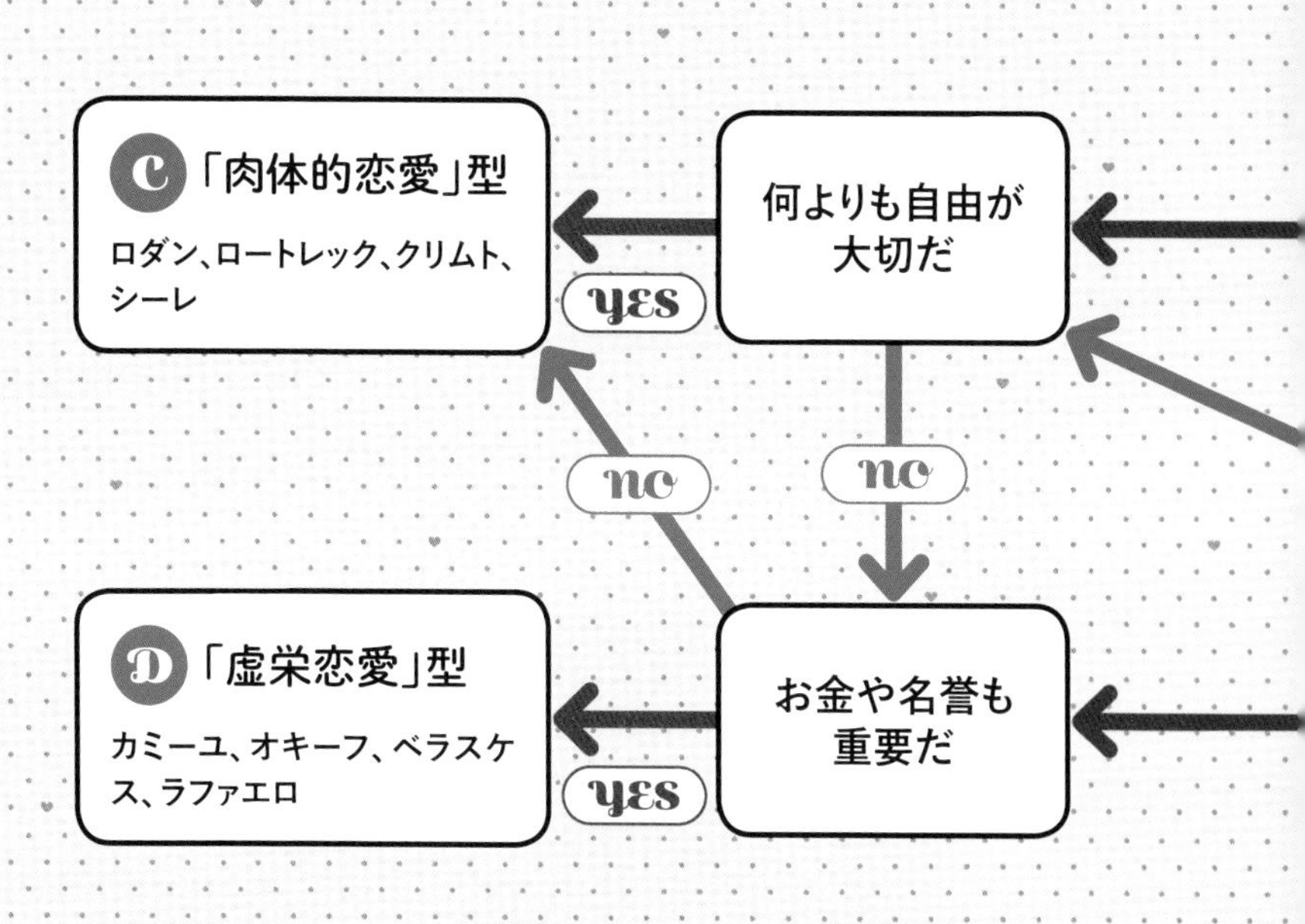
C「肉体的恋愛」型
ロダン、ロートレック、クリムト、シーレ
YES
何よりも自由が大切だ
NO
NO
D「虚栄恋愛」型
カミーユ、オキーフ、ベラスケス、ラファエロ
YES
お金や名誉も重要だ

Contents

ロダンを創(つく)り、ロダンに破壊された悲劇の彫刻家

カミーユ・クローデル

Camille Claudel（1864-1943）

誕生日

1864年12月8日

出身地

フランス
エーヌ県

父

ルイ＝プロスペル・クローデル
（官吏）

母

ルイーズ＝アタナイーズ・セルヴォー
（医者の娘）

趣味

文学、読書

性格

真面目

経歴

彫刻家ロダンの弟子として知られるフランスの彫刻家。
弟は、詩人・劇作家で外交官のポール・クローデル。
19歳で彫刻家オーギュスト・ロダンの弟子となる。
30年間、精神科病院に閉じ込められ78歳で死去した。

カミーユが20歳頃に制作した彫刻作品《かがむ女》。師匠のオーギュスト・ロダンにも影響を与えたと考えられる作品。

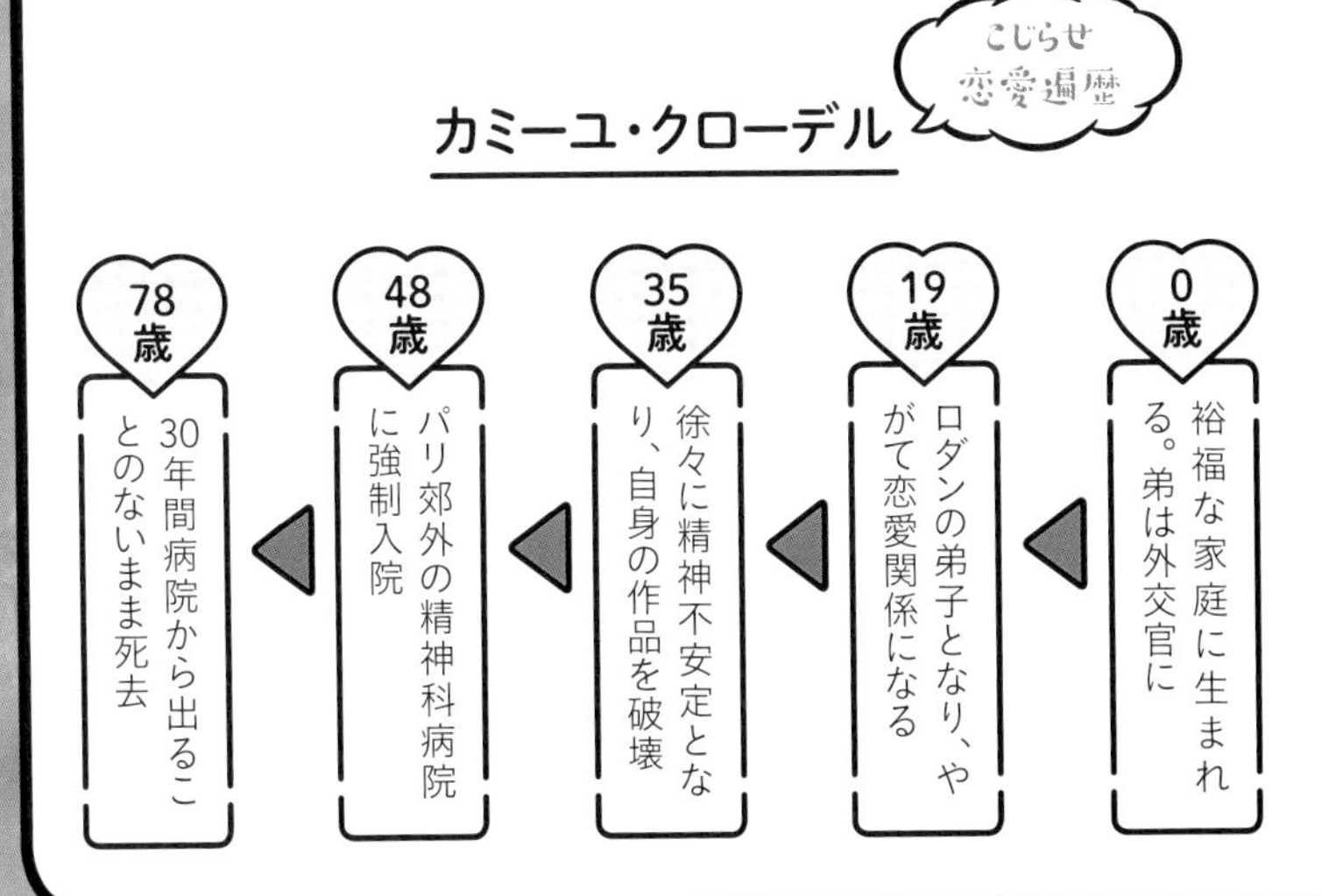

1864年、フランス北部の裕福な家庭に生まれる。
父は土地管理をする官吏、母は医者の娘だった。

19歳で彫刻家オーギュスト・ロダンの弟子、恋人に。
ロダンの内縁の妻ローズとの三角関係が続く。
20代後半にはロダンの子を妊娠、堕胎。

15年にわたるロダンとの関係が終わりを迎える。
多くの彫刻作品を自ら破壊した。

精神科病院に強制入院させられ、亡くなるまでの30年を過ごす。
2017年、故郷に「カミーユ・クローデル美術館」が開設。

フランソワ・ポンポンとカミーユ、人生の分かれ道

最近、フランスの動物彫刻家として知られるフランソワ・ポンポン（1855-1933）の《シロクマ》を手に入れた。と言っても原寸大のレプリカで、オリジナルの彫刻はオルセー美術館やメトロポリタン美術館に所蔵されている。2メートル以上あるシロクマを茶室に置き、眺めているうちに、ふとカミーユ・クローデルのことを思い出した。

ポンポンは、オーギュスト・ロダン（1840-1917）と同時代のフランスに生きた彫刻家。ロダンの弟子で大理石の下彫りなどを担当した。さらに、カミーユ・クローデルのもとでも働いたことがある。そんなロダン、カミーユ、ポンポンの関係はこれまでほとんど注目されてこなかったが、実は、非常に興味深い人生を送っているのだ。

ポンポンはカミーユより9歳年上だが、非常に優秀な職人だったため、ロダンから才能を認められ、ロダンの工房で5年働き、工房長まで務めた。その後、ロダンのライバルの彫刻家サン＝マ

ルソーに引き抜かれて、彼のもとで下彫り職人を続けた。67歳の時、《シロクマ》で彫刻家としてデビューする。遅咲きながらも動物彫刻家として大人気となり、亡くなるまでの10年間、精力的に創作を続けて独自の地位を確立した。ロダンの弟子は他にもアントワーヌ・ブールデル、コンスタンティン・ブランクーシなどがいたが、みな早くに独立して成功を収めている。

しかし、カミーユだけは工房に残った。そして15年もの間ロダンを支え続けることになる。今から見れば、ここが彼女の人生の大きな分かれ道だった。

24歳上の師匠ロダンと、美しく優秀な弟子カミーユ・クローデル。ふたりは師弟関係を超えて愛し合っていたが、ロダンには

内縁の妻であるローズがいた。三角関係のままロダンの子の妊娠と堕胎を経験したカミーユは、やがてロダンに才能を盗まれたと思うようになっていく。

ハンマーで作品を破壊する

ロダンという彫刻家は、ギリシャ、ローマの彫刻のような西洋が理想としてきた均整のとれた肉体の表現を投げ捨て、生身の人間らしさを強調した芸術家だ。「自然の動き（躍動感）」と「量感（ボリューム）」を、生涯にわたり追求した。

カミーユもポンポンもこの考えに大きな影響を受けているが、最も近い作風なのがカミーユだといえる。一見すると、カミーユの作品はロダンの作品と見分けがつかないほどだ。動的なポーズや激しいエネルギー、肉感的なプロポーション。どちらが影響を受けたのか、もはや境目がないほどによく似ていて、どちらの作品も同じくらい素晴らしい。むしろ、ロダンがカミーユから影響を受けたのではないか？　そんなふうにも思えてくる。

精神的に不安定になったカミーユはアトリエに引きこもり、35歳の夏、その1年間に苦労して制作した作品を片っ端からハンマーで破壊した。類まれな美貌と才能を持つ、ダークブルーの目をした美少女カミーユは、すべてをロダンに賭け、すべてを失ってしまったのだ。

1913年、唯一の味方だった父親も失うと、精神のバランスを大きく崩し、「ロダンがアイデアを盗みにくる」という強迫観念がますます強くなっていく。

異常な言動が目立つようになり、カミーユの家族はやむを得ず、彼女をパリ郊外にあるヴィル゠エヴラールの精神科病院へ幽閉した。翌1914年、第一次世界大戦が勃発すると、南仏アヴィニョン近郊、モンドヴェルグの精神科病院に移された。

こうして48歳で精神科病院に入れられたカミーユは、二度とそこを出ることはなかった。母と妹が病院へ見舞いに行くことは一度もなく、4歳年下の優秀な弟ポール・クローデルが数年に一度見舞うのみ。しかし弟が外交官として任地のブラジルへ向かい、やがて1921年に駐日大使として日本に赴任すると、カミーユを訪問することも稀(まれ)になっていく。

「ロダンに毒殺される……」

カミーユは晩年、精神科病院の中でロダンから毒殺されることを恐れ、殻つきの卵と皮つきのじゃがいもしか食べなかったという。そして、この病院に自分を入院させたのはロダンだと言い張り、誹謗中傷や攻撃をし続けた。弟のポールにあてた手紙には、こんなふうに書いている。

「すべてはロダンの悪魔のような頭から出てきたことです。彼は、彼の死後、私の方が芸術家として名声を得るようになり、彼よりも有名になってしまうのではないか、という考えに苦しめられているのです。だから、彼は私を精神科病院に閉じ込めているのです。私は、この奴隷状態には、うんざりです」（筆者による意訳）

一方で、ロダンは77歳で亡くなる時、最期にこんな言葉を残している。「パリに残した、若い方の妻（カミーユのこと）に逢いたい」。もちろんそんなことは知らないカミーユは、病院の中でロダンへの憎しみを抱き続けた。約30年もの間、元恋人ロダンへの激しい憎しみと、母の愛を得られない鬱屈した思いに苦しみながら、家族に看取られることもなく独りで亡くなった。78歳だった。

こじらせ
Love

最高傑作は「ロダン」だった？

2017年、カミーユが10代を過ごした故郷ノジャン＝シュル＝セーヌに「カミーユ・クローデル美術館」が設立された。破壊を免れた彫刻やスケッチが残っていたのだ。「才能を盗まれた」天才女性彫刻家カミーユ・クローデルは、かつてはロダンの愛人や弟子と呼ばれた。しかし近年ようやく、ロダンの「共同制作者」と呼ぶことが定着してきた。話題になったフランス映画『カミーユ・クローデル』によって、彼女の真実の姿が広く知られるようになったことも影響が大きいだろう。

今やカミーユの人気は、ロダンのそれをしのぐほどにまでなった。カミーユの彫刻は伝説となり、文学作品のような物語性、神話性すら帯びている。踊っているようにも見える躍動的な彫刻からは、エネルギーが溢（あふ）れている。カミーユ・クローデルの人生は悲劇だったが、美術館ができたことによって、ようやく、ほとばしる魂の叫びが受け入れられる場所が見つかった。そんなふうに感じる。

いや、本当は「ロダンという芸術家」こそ、カミーユの最高傑作なのかもしれない。

カミーユ・クローデル

Camille Claudel

美意識過剰な天才は巻き毛がお好き

レオナルド・ダ・ヴィンチ

Leonardo da Vinci（1452-1519）

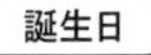

誕生日

1452年4月15日

出身地

フィレンツェ共和国
ヴィンチ村

父

セル・ピエーロ・
ダ・ヴィンチ
（公証人）

母

カテリーナ
（農民の娘）

趣味

発明、解剖

性格

穏やか
好奇心旺盛

経歴

イタリア、ルネサンス時代の天才芸術家で発明家。建築、音楽、科学、解剖学、土木など広い分野で活躍した。世界最高の頭脳を持つ「万能の天才」として知られているが、幼い頃に教育を受けていないため、生涯コンプレックスを抱え、自己顕示欲に満ち溢れた人物でもあった。溺愛したのは、超不良の弟子サライ（小悪魔イケメン）。

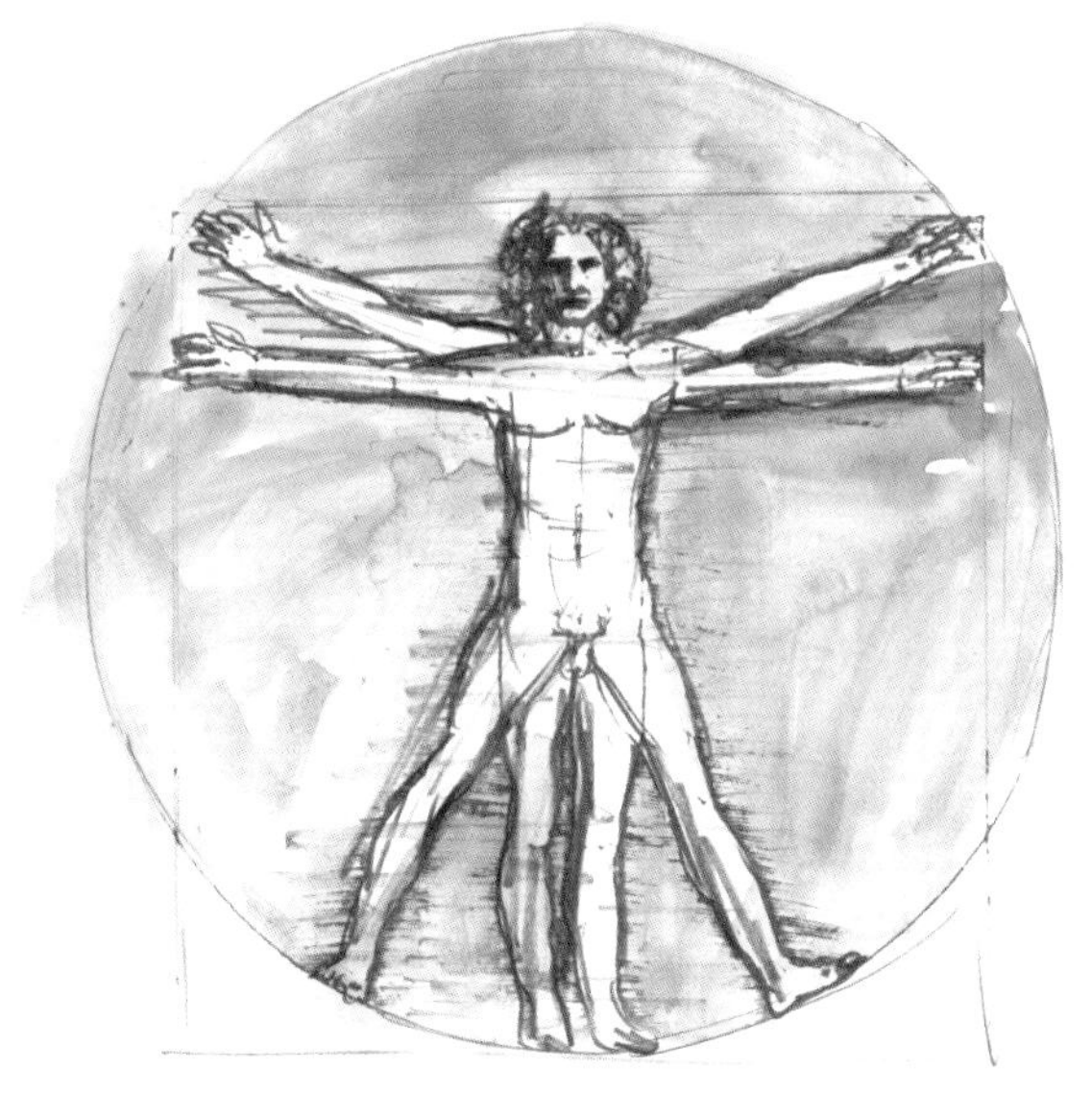

レオナルドが38歳頃に描いた《ウィトルウィウス的人体図》。人体の中にある「黄金比」を表現していると考えられている。

こじらせ恋愛遍歴

レオナルド・ダ・ヴィンチ

0歳 母の愛情に飢えた子ども時代を過ごす

24歳 同性愛の疑いで2回逮捕される

38歳 10歳の美少年サライを弟子にする

54歳 14歳の美少年メルツィを弟子にする

67歳 最愛の弟子たちに見守られ、フランスで死去

イタリア、ヴィンチ村に生まれた。父は裕福な公証人。
未婚の母は貧しい農民の娘で、祖父に育てられたとされる。

17歳の男娼を買った罪で、2回逮捕された。
取り調べを受けたが、証拠不十分で釈放される。

自ら考案した楽器「リラ」の名手。イケメン芸術家として才能を発揮。
即興ですばらしい音楽を奏で、作曲もするほど見事な腕前だったという。

巻き毛の小悪魔イケメン・サライに貢ぎまくり、溺愛。
晩年はフランスの城で暮らし、67歳で病死。

「万能の天才」を訪ねて三千里

天才と凡人を分かつのは、新境地を開く独創性があるか、ないかだと思う。時代を超えて、大きな影響を残せるかどうかも重要だ。その点、レオナルド・ダ・ヴィンチはありとあらゆるジャンルで万能の天才だった。彼は一体どんな場所で、何を見て育ったのか？　なんとしても見てみたい。そう思い立って、イタリア、トスカーナ地方にあるヴィンチ村を訪れた。

そもそも「レオナルド・ダ・ヴィンチ」とは、イタリア語で「ヴィンチ村のレオナルド」という意味だ。名前にもなっているくらいだから、何か重要な手がかりがあるに違いない。ローマに住む日本人彫刻家に案内してもらい、フィレンツェから車で1時間ほど走り、荒涼とした大地を西に向かった。

ヴィンチ村に近づいて来た時に驚いたのは、周辺の風景が「モナ・リザ」の背景そっくりだったことだ。立っているだけで、自分がモナ・リザになったような気持ちになる。どこまでも広がる丘にブドウ畑とオリーブ畑。アジアの風景にも似ていて、黒一色で描いたらまるで中国の水墨画のようにも見えるだろう。最近では「レオナルドの母親には、当時この地方で奴隷として働いていた異国の民族の血が混ざっていた」という説もあるそうだが、そんな説が広まるのも、わからなくはない。ヴィンチ村は、どこか奇妙な「どこでもない村」という感じだった。

地元の方に聞いてみると、近くにある「トスカーナのグランドキャニオン」ことアルノ渓谷の断崖絶壁の風景こそが、「モナ・リザ」の背景ではないかと教えてくれた。この荒涼とした大地は、やはりレオナルドにとっての原風景なのだろう。

「モナ・リザ」は誰なのか？

世界一有名な絵画「モナ・リザ」は、フィレンツェの裕福な絹商人フランチェスコ・デル・ジョコンドから妻モナ・リザの肖像画制作の依頼を受けて描かれた作品ということになっている。しかし、納品されることはなく、最後の最後まで自らの手元に置いていたというのはやはりおかしな話だ。

本当のところ、「モナ・リザ」は、レオナルドが届かぬ愛を捧（ささ）げた母の肖像画なのではないか？　そして、ある種の自画像でもあるように感じる。自らを永遠に残すための実験的作品としてこれを描いていたのではないだろうか。

というのも、高貴な身分の貴婦人から注文された肖像画にしては、やたらと地味な黒いドレスを着ているし、輪郭線だけでなく、顔の特徴すらぼかして描いているように見える。愛する母カテリーナが、ヴィンチ村の空高くからレオナルドや家族たちを見守る――そんなレオナルドの理想的イメージを描いているのかもしれない。肖像画の代金も受け取らず、描き始めてからフィレンツェ、ミラノ、ローマ、フランスと16年にわたる引っ越し生活でも、ずっと持ち歩いていた。「モナ・リザ」への愛情の深さがよくわかる。作品そのものを自分自身のようにかわいがっていたのだ。

4回結婚し、13人の子どもを遺した父

ヴィンチ村では、まずレオナルドが洗礼を受けた教会、そしてレオナルド・ダ・ヴィンチ博物館を訪れた。いろいろな発明品が並んでいるが、展示が綺麗(きれい)すぎてちょっとピンとこない。さらに、レオナルドが生まれてから幼少期まで過ごした土地、ヴィンチ村中心部から北へおよそ3キロのところにあるアンキアーノという場所へ向かった。ここには石造りの生家が残されている。自然豊かで美しい、そして少し寂しい場所だ。この静かな環境による孤独

が、彼に物事を深く考えるチャンスを与えてくれたのだろうか。

レオナルドはこんな興味深いことも言っている。

「画家は孤独でなければならない。なぜなら、ひとりなら完全に自分自身になることができるからだ」

もしかすると、このような豊かな自然に佇(たたず)むことで、レオナルドは「完全に自分自身になる」ことができたのかもしれない。

この発見以上に感動したのは、アンキアーノの人々の芸術への愛だった。途中、ワイナリーに立ちよると現代美術の作品が飾られていた。家族で農業を営みながら観光客の受け入れをする「アグリツーリズモ（農業観光）」と呼ばれる宿泊施設もたくさんあった。自然だけでなく、芸術的感性を刺激してくれるような土壌があったからこそ、レオナルドは「天才レオナルド」に育ったのだと感じた。

ヴィンチ家は、古くから公証人（現代における弁護士や公認会計士のような職業）の家系。レオナルドの父セル・ピエーロもフィレンツェ政府の公証人だった。母カテリーナは、16歳の農民の娘。社会階級の異なるふたりの婚姻は許されず、レオナルドが生まれると、互いに別々の相手と結婚する。レオナルドは生まれてすぐ母親と引き離され、祖父に育てられた。

両親から十分な愛情を受けられず、複雑な家庭環境で幼少期を過ごしたためか、レオナルドは生涯、生身の女性に興味を持たず、中性的な少年や母性を感じさせる女性を描き続けた。

……と、ここまではよく知られている話だが、実は父セル・ピエーロは、予想以上に精力旺盛で地元の実力者だったらしく、78歳で亡くなるまでに4回結婚し、13人も子どもを遺している（最後の子ジョヴァンニが生まれたのは、なんと亡くなった後のことだったという）。

つまり、レオナルドには、父方の異母兄弟がものすごくたくさんいるのだ。知力も体力も非常に優れていた父親の遺伝子をレオナルドが受け継いだと考えてもおかしくない。さらに父は人の心がわからない威圧的な態度の人物だったとも言われており、その辺りもレオナルドが自分の人生を大きくこじらせることにつながったのではないか。

17歳の妖艶な男娼を買って逮捕

レオナルド・ダ・ヴィンチは、美男子でマザコン、そして同性愛者だったと考えられている。性格は、穏やかでマイペース。飽きっぽい性格でもあり、一度も女性の恋人がいた形跡はなく、生涯独身だった。

ルネサンスの重要な人物の生涯を記録した『美術家列伝』のジョルジョ・ヴァザーリは、は「この上なく美しかった彼の容貌のすばらしさは、見る者のどんな悲しい気持ちをも晴れ

やかにした」と、レオナルド自身がとにかく美形だったということを強調している。

24歳の頃、青年レオナルドは、ある事件に巻き込まれる。モデルを頼んでいた17歳の美しき金細工職人ヤコポ・サルタレッリと関係を持ったという同性愛の疑いで、逮捕されたのだ。すぐに証拠不十分で釈放されたが、2か月後にもまた同じ罪で逮捕された。中世のフィレンツェにおいて、成人の同性愛は、神と自然への反逆であるとして厳罰の対象だった。成人の常習者は去勢。未成年に同性愛を斡旋（あっせん）したものは、片手の切断。3度目以降は火あぶりの刑に処せられるほど重罪だった。しかし一方で、当時のフィレンツェにおいて、同性愛は珍しくなかった。レオナルドの師匠ヴェロッキオも結婚したことはないし、ボッティチェリも何度か男色で有罪判決を受けている。ほかにもドナテッロ、ミケランジェロ、ベンヴェヌート・チェッリーニなどが同性愛者として知られている。

それでもレオナルドの直筆ノートには、「精神的情熱は肉欲を追い払う」（アトランティコ手稿）とか、「情欲を抑制できない者は、けだものの仲間になれ」（パリ手稿）などと、性欲に関することがたびたび記録されているのが興味深い。もしかすると、このサルタレッリ男娼事件があってから、軽率な行動に出ないように自戒していたのかもしれない。

実際にこの2度の逮捕以降の数年間は、かなり活動を自粛しており、反省をしていた様子もうかがえる。いずれにしても、レオナルドはこの事件以降、恋愛に対しても人生に対しても、臆病で慎重な性格になっていったのだと考えられる。

巻き毛という小宇宙に魅せられて

レオナルドの恋人といえば、彼がフランスの城で死ぬまでともに暮らした不良のイケメン、弟子のサライ（ジャン・ジャコモ・カプロッティ）がよく知られている。サライとは「小悪魔」の意味で、レオナルドが付けたあだ名だ。レオナルドが「盗人、嘘つき、強情、大食漢」とノートに記録しているように、小銭やお釣りを何度も盗まれていた。サライは10歳の時、38歳のレオナルドのもとへ弟子入りしている。つまり、彼らは30年以上にも及ぶ同居生活を続けたことになる。サライの父親ピエトロは、レオナルドが所有していたブドウ畑で働いていた。レオナルドは、そこで見初めた美少年を自分の工房に集めて暮らしていたのだ。

サライはかなり美しい青年に成長し、レオナルドは、とりわけ彼の巻き毛を偏愛していたらしい。巻き毛フェチと言ってもいいかもしれない。出会った最初の年だけでも「靴を24足、上着を3着、コートを1着プレゼントした」と記録されており、相当惚れ込んでいたこ

とがうかがえる。裕福ではなかったサライの実家を援助し、自分の死後には、ブドウ畑や邸宅、そしてあの「モナ・リザ」までサライに遺した。

サライはその後、43歳で女性と結婚。しかし、翌年に決闘で負けてあっさりと亡くなってしまう。

レオナルドにはもうひとり愛弟子(まなでし)がいた。晩年に迎え入れ、フランスで亡くなるまでずっと一緒だったフランチェスコ・メルツィだ。ミラノ近郊の貴族の息子であるメルツィも同じく美男子だったが、晩年のレオナルドを支え、臨終を看取った。そして、レオナルドの膨大な手稿の整理を任せられた。彼はこの約束を守り、『レオナルド・ダ・ヴィンチ手稿』として出版した。

「レスター手稿」と呼ばれる重要なメモには、水の流れを描いた流体力学の洞察や実験が記録されている。水流や渦、心臓内の血流の研究などに興味を示したレオナルドだが、これらの「渦」が全て「風に揺れる柔らかい巻き毛」のように描かれていることに注目したい。美しい巻き毛の中に、小さな宇宙を見つけていたのではないだろうか。

レオナルドは、美しい巻き毛の青年たちとともに、美を愛(め)でながら生きた男だったのだ。

パステルカラーの華麗なる恋の女王

マリー・ローランサン

Marie Laurencin（1883-1956）

誕生日

1883年10月31日

出身地

フランス
パリ10区

父

アルフレッド・
トゥーレ（高級官僚）

母

ポーリーヌ・
メラニー・ローラン
サン（洋裁師）

趣味

詩、なわとび

性格

子どもっぽい

経歴

エコール・ド・パリを代表する女性画家。パリで生まれ育った都会っ子。
父親は高級官僚だったが、その存在を知らないで育った。
パステルカラーを使った女性のポートレートで人気となり、
1920年代には、上流階級の間で肖像画が大流行。

赤、青、黄のパステルカラーで描かれた《三人の若い女》。10年もの歳月をかけて完成させた晩年の傑作で、ローランサンの人生を集約したような作品。

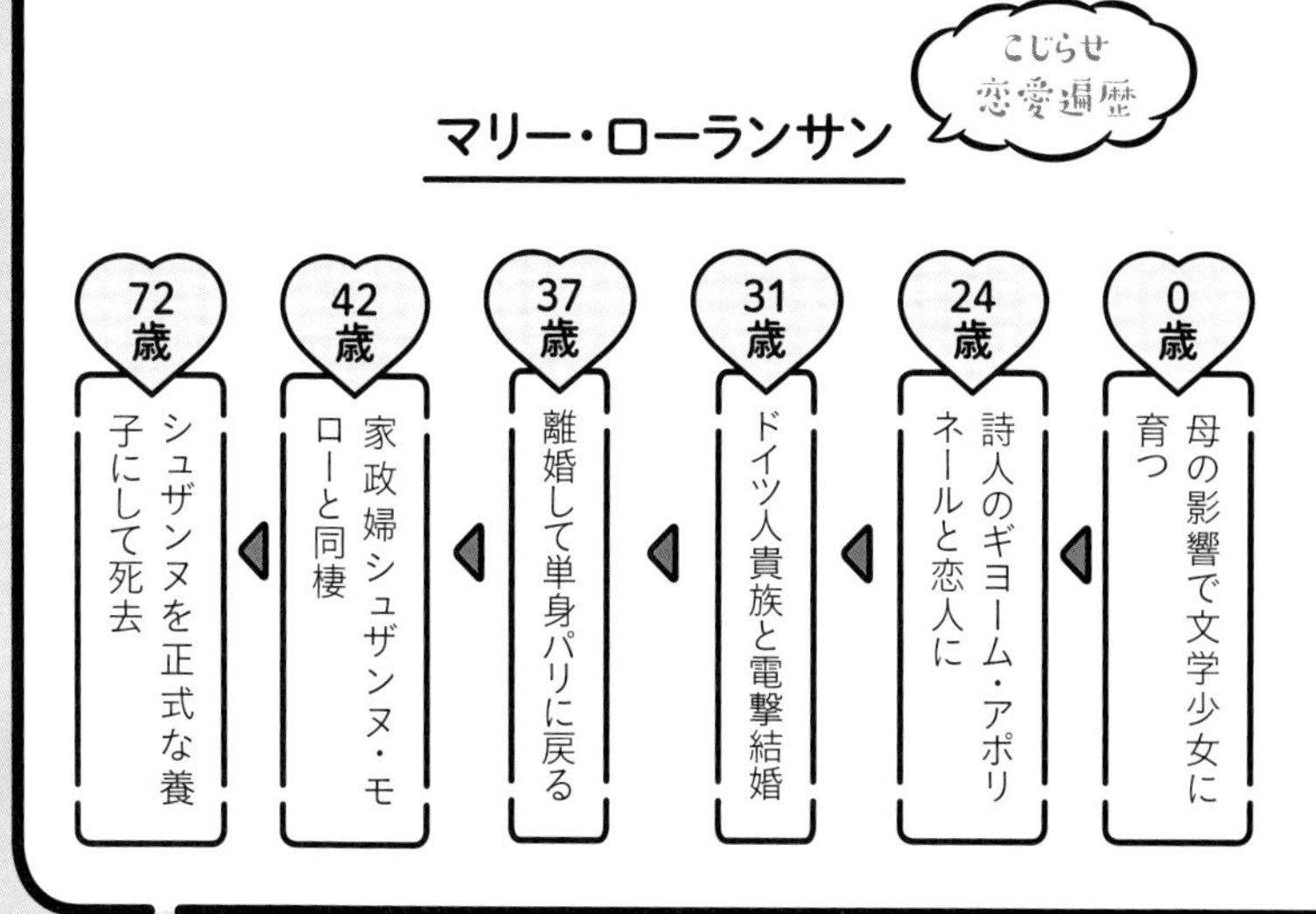

1883年、パリで未婚の母（洋裁師）のもとに生まれる。
貧しいながらも令嬢のごとく大切に育てられ、18歳で磁器の絵付けを学ぶ。

伝説のアトリエ「洗濯船」で若い芸術家たちのアイドルに。
ピカソに紹介され、詩人アポリネールと恋愛、のち破局。

マリー・ローランサン
Marie Laurencin

ドイツ人貴族と電撃結婚し、スペインに亡命。
夫のスパイ容疑や浮気が原因で離婚。

長年の親友とバイセクシュアルに目覚める。
晩年は、家政婦だったシュザンヌと平和に暮らし、養子にする。

人生ゲームのような虹色の生涯

「パステルカラーの女王」として知られるローランサンの一生は、人生ゲームのようだ。現実離れした、ジェットコースターのような山あり谷ありの日々を戦い抜いて、無事にゴールまで辿り着いたのだ。波瀾万丈でこじれた人生を送った芸術家はたくさんいるが、ローランサンのように、波瀾万丈の末に「ゴール」といえるような充実した晩年を過ごしたケースは珍しい。

そんなローランサンは、なぜか日本で特に人気が高い。1980年代には、長野県茅野市の蓼科湖畔に世界で唯一のマリー・ローランサン美術館が存在していたほどだ（タクシー会社グリーンキャブの創設者、高野将弘が収集した作品を収蔵。2017年に東京のホテルニューオータニに移転し、現在は閉館）。

淡い色彩と灰色で物憂げな女性像を描くスタイルは、大正から昭和にかけて、東郷青児、いわさきちひろなどにも絶大な影響を与えた。これはおそらくローランサンが浮世絵やジャポニスムと呼ばれた日本趣味の影響を受けていることとも関係があると思う。シンプルな構図、平面的な画面構成。女性の目鼻立ちにはどこか浮世絵を彷彿させるところがある。

「ピンク」の発見 陶磁器の絵付けが人生を変えた

パステルカラーの女王の人生は、パリで仕立てや刺繡（ししゅう）を請け負う洋裁師だった未婚の母・ポーリーヌの子として生まれたことからはじまる。父は高級官僚で、地元の代議士にまでなった名士だ。しかし、ローランサンにとっては「たまに訪ねてくるいけ好かないおじさん」だったようだ。のちにこのおじさんが父親だと知らされるのだが、この頃から、男性への不信感が高まっていたのかもしれない。

また、彼女は自らの容姿へのコンプレックスが強かった。強い縮毛の髪は、どこか異国の血が流れているためだと思っていた。自分のルーツは「クレオール」（西インド諸島、中南米の植民地などで生まれたヨーロッパ系の人種）だと信じ込んでいたという。それでも、ラテン語が読める知的な母の影響を受け、詩と芸術を愛する文学少女として、すくすく育った。母の仕事柄、家には美しい扇やレースなどの飾り物が溢れており、きれいなものへの憧れが人一倍強かったという。

18歳になると絵画に興味持つようになり、フランスを代表するセーヴル製陶所の絵付け講習に通って装飾絵画を学ぶようになった。

モチーフを図案化、単純化して描くローランサンの基本的手法は、この絵付けの作業から見出(みいだ)されたのかもしれない。女性を神話的、宗教的なイメージで表現するのは、まさに磁器の絵付けの応用だ。さらに19世紀末から20世紀初頭にかけてヨーロッパを中心に流行した、優雅なアール・ヌーヴォーの装飾性も大きな学びとなったに違いない。そして、何よりローランサンのシンボルカラーである「淡いピンク」は、セーヴルの陶磁器の色彩そのものだ。画面全体をパステルカラーで塗りこめた、少女の終わらない夢のような幻想的画風は、このような経歴が大きく関係しているように感じられる。

ピンクは、フランス語で「rose（ローズ）」と言う。この言葉には「バラ色の」という意味も含まれている。ピンクが好きな美術史上の有名人といえば、ルイ15世のポンパドゥール夫人だ。フランス王室の色といえば「青」の印象が強いが、彼女がパトロンとなったセーヴル窯では「ロゼ・ポンパドゥール」というオリジナルのピンクが使われた。庶民の出身から王室のルイ15世に政治的な影響を与えるまでにのぼりつめたポンパドゥール夫人は、ローランサンの人生とも重なる部分が多い。潜在的に何かシンパシーのようなものを感じていたのではないだろうか。あるいは、ピンク色の美しい陶磁器の絵付けの勉強を続けていく中で、知らず知らずのうちに影響を受けたのかもしれない。

色彩を探究した思想家・哲学者のルドルフ・シュタイナーは、ピンクは「人間の肉の色」

であると書いている。ピンクは、子宮の色であり、生命誕生のエネルギーを持つ色なのだ。ローランサンは絵を描きながら、ピンクが恋愛の至福感を象徴する色であり、自分を表現する重要な色彩であることに気づいたのだろう。

ローランサンの「こじらせ恋愛」が映画に⁉

21歳の時、大きなチャンスがやってきた。本格的に絵画の勉強を始めるために入学した画塾で、若き画家ジョルジュ・ブラックと知り合ったのだ。この頃、あらゆるモチーフを幾何学的図形として描く「キュビスム」という未知なる様式を開拓しつつあったブラックは、ある日学校の物置に並べていた「ピンクと黒と白で描かれた絵」をまじまじと見つめ、彼女にこう言った。「あなたには才能がある。勉強を続けるべきだ」

ブラックは、磁器の絵付けをやめて、本格的な絵画に取り組むべきだと勧めた。さらに彼は奇妙な「ピンクの絵」を持って、パリのモンマルトルにあったギシギシと床が軋む住居兼アトリエ「洗濯船」に向かった。ピカソが恋人フェルナンドと住み、アンリ・マティスらも出入りする、芸術活動の拠点となっていた伝説のアトリエだ。

「洗濯船」でこの絵を見せると、仲間たちも同じく彼女の才能を認め、画家になるべきだと言った。ジャン・コクトーもローランサンのことを可愛がり、「かわいい牝鹿」と呼ぶようになった。ローランサンは、奇妙なピンク色の絵画によって、自分が生涯やるべきことへと導かれたのだ。

そんな時、最初の恋の相手と出会う。画商で詩人のアンリ＝ピエール・ロシェだ。長身ですらりとしたエレガントな美男子のロシェは彼女のデッサンを購入し、公私共に生活を支える。ふたりの間には淡い恋が芽生えた。

さらにある日、ピカソが親友である詩人・美術評論家のギヨーム・アポリネールに「君のフィアンセに会ったよ」とローランサンを紹介する。ピカソの予想通り、ローランサンとアポリネールはすぐ恋に落ちた。この出会いによって、ふたりは互いに才能を開花させることとなる。しかし、ルーヴル美術館でレオナルド・ダ・ヴィンチの「モナ・リザ」盗難事件が起きて、アポリネールとピカソが逮捕されたことで、恋の炎は冷めてしまったらしい。

この頃のローランサンをとりまくこじれた恋模様は、ロシェの自伝的小説『ジュールとジム』として発表され、1962年には『突然炎のごとく』として映画化もされた。フランソワ・トリュフォー監督、ジャンヌ・モロー主演という話題性も相まって、世界中で大ヒット。当時、女性解放運動が活発化しつつあったアメリカとイギリスなどでも、フランス映画として

は異例のヒットを記録した。ローランサンは、このような数々の偶然の出会いと別れによって美術史に名を刻むこととなった。

どん底で目覚めた同性愛、離婚からの人生好転

あるパーティーで、彼女はドイツから絵を学びに来ていたイケメンで遊び上手な貴族、オットー・クリスティアン・フォン・ヴェッチェン男爵と出会う。その頃、最愛の母親が亡くなり、アポリネールとの破局が重なったこともあって、すぐに彼と結婚することとなった。傷心の末の電撃結婚、わからなくもない。

しかし、1914年の新婚旅行の途中で、第一次世界大戦が勃発してしまう。結婚しドイツ国籍になった彼女は、故郷フランスを追われ、中立国であったスペインに亡命する羽目に。ところが、スペイン政府からはスパイ容疑をかけられ、定住することもできず、マドリード、マラガ、バルセロナと逃げるように暮らすしかなかった。ふんだりけったりである。

しかも、夫はアルコール依存症となったうえ、数多くの愛人をつくり、家を空けるようになっていた。ある時は、酒場でケンカしてピストルで撃たれ、血まみれになって帰ってきたこともあったという。

次第に神経が衰弱していく彼女の失意を慰めたのは、長年の友人ニコル・グルーという女

性だった。こうして、ローランサンはニコルとの同性愛に目覚める。このことが、ローランサンに新たな創作意欲を与えることになった。戦争の最中、フランスにおいてバイセクシャルは珍しいことではなかったという。夫を戦場にとられた女性たちが、同性に興味を持つことも多かったようだ。

作風も次第に明るくなった。パステルカラーを多用するが、淡いピンクやアンニュイな灰色を基調にしたシンプルな構成で、絵の具は7色しか使わない。それが、逆に先進的で女性的なイメージのローランサン様式として、人気となっていった。

終戦後、夫のヴェッチェン男爵とは37歳で離婚。ローランサンはフランス永住許可を得て、パリに戻った。そして、華やかで官能的な夢の世界を描き、個展は大成功。突然、ローランサンの時代がやってくるのだ。

恋仲のココ・シャネルにも妥協しない

ローランサンに肖像画を描いてもらうことは、パリ社交界の流行となっていった。舞台装置や衣装デザインなども数多く手がけ、1920年代、狂乱の時代のパリの大スターとなる。その頃、パリのモード界の寵児、ココ・シャネルからも肖像画を依頼される。ふたりは恋人関係にあったとも噂されているが、シャネルは完成した絵が気に入らず、受け取りを拒

マリー・ローランサン

Marie Laurencin

否。シャネルとローランサンの恋もまた、破局を迎えたようだ。

この時ローランサンを支えたのが、20歳の家政婦兼恋人、シュザンヌ・モローだった。晩年にはシュザンヌを養子にして、72年の生涯を幸せに暮らした。ローランサンは、本人の遺志により白い衣装を身につけ、赤いバラとアポリネールの手紙の束を胸に置いて、墓地に埋葬された。莫大（ばくだい）な財産の大半は職業訓練を行う孤児院と修道女の慈善団体に寄付されたというのも、ローランサンらしいエピソードだ。若い頃、セーヴル製陶所で絵付けを学んだことが人生の転機になったことへの、恩返しをしたかったのだろう。

こうやって彼女の人生を振り返ってみると、人との出会いがいかに大切かよくわかる。たとえそれがこじれたものであっても、自分にとって重要な意味を持つ人物との出会いこそが人生を豊かにしてくれるのだ。

実は、僕もローランサンのちいさな銅版画をずっと寝室に飾っている。なんとなくバラ色のいい夢が見られそうな気がするからだ。不思議なことに、モノクロームの作品なのに淡いパステルカラーの色彩が感じられる。ローランサンの絵画は、いつだって甘く、切なく、誰かの人生における虹として輝いている。

虹色を描くには、太陽の光と雨が必要だ。強い光と雨のない場所に、虹は存在しない。ローランサンの絵画は、そんなことを教えてくれるようだ。

砂漠と結婚した女神

ジョージア・オキーフ

Georgia O'Keeffe（1887-1986）

誕生日

1887年11月15日

出身地

アメリカ
ウィスコンシン州
サンプレーリー

父

フランシス・オキーフ
（農民）

母

アイダ・トット

趣味

動物の骨、
石の収集

性格

好奇心旺盛、勤勉

経歴

20世紀のアメリカを代表する女性画家。
夫は写真家のアルフレッド・スティーグリッツ。
画面いっぱいに風景、花、動物の骨を拡大したモチーフを描いた作風で知られている。

オキーフが50歳の頃に描いた《From the Faraway, Nearby（遠くから、近くに）》。砂漠と動物の頭蓋骨を象徴的に描いた神話のような作品。

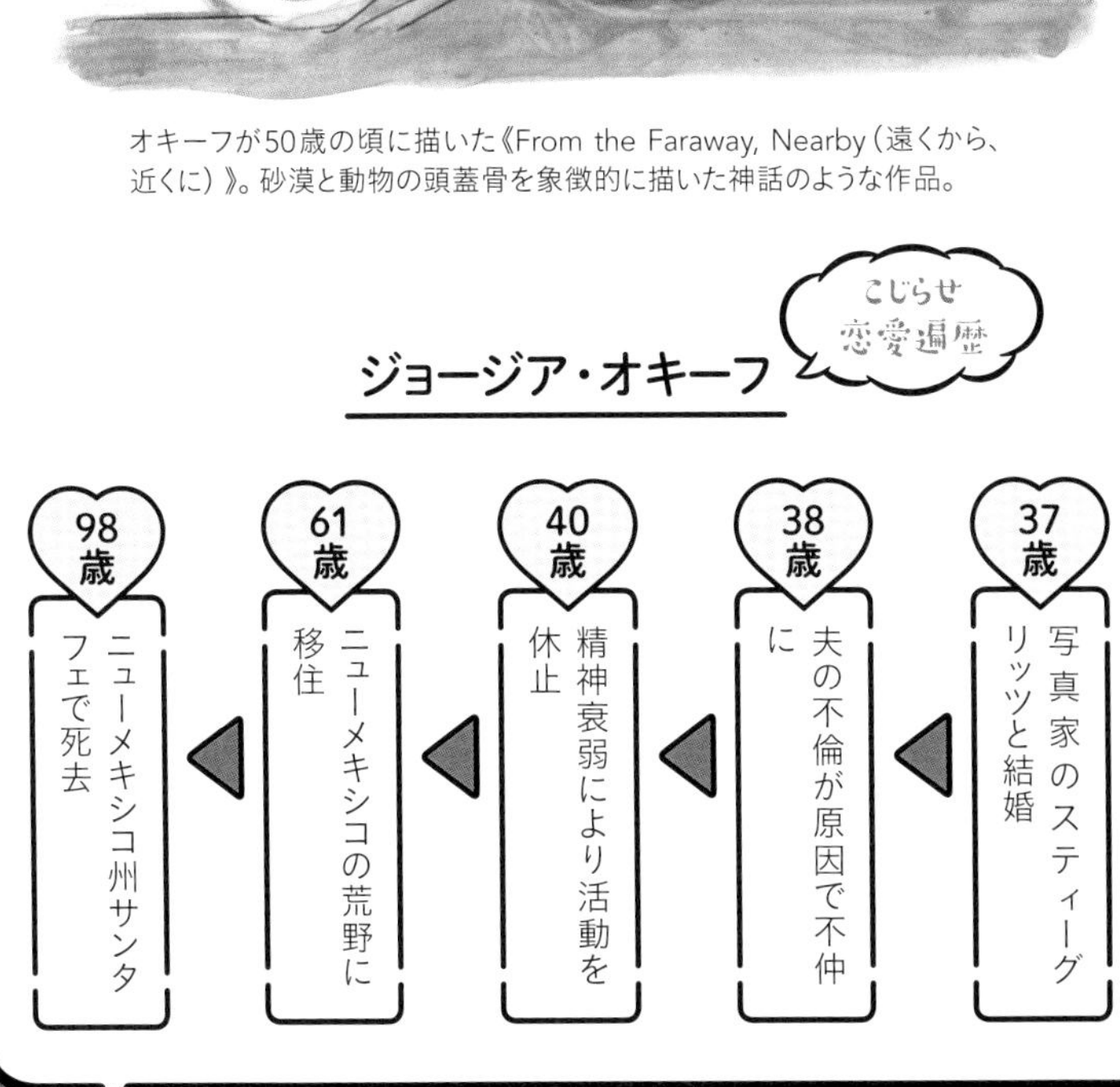

1887年、ウィスコンシン州の農家に生まれ、孤独な幼少期を過ごした。
父はアイルランド系、母はハンガリー移民。

シカゴ美術館附属美術大学やニューヨークで絵画を学び、テキサスで美術教師として働く。この頃、ロダンのエロティックな水彩画に出会う。

ジョージア・オキーフ

Georgia O'Keeffe

写真家のスティーグリッツと電撃結婚し、芸術家としてもデビュー。
夫の画廊「291」で作品を展示。

夫がギャラリーのアシスタントと恋仲になり、苦悩の日々。ニューメキシコの荒野に移住し、象徴性の高い抽象絵画を描いた。

写真家と画家、運命の出会いはクレームから

花や動物の頭蓋骨を画面いっぱいに描いた作風で知られる、20世紀アメリカ絵画の巨匠ジョージア・オキーフ。彼女は、98歳で亡くなるまでニューメキシコの砂漠の中に茶室のような静謐（せいひつ）な空間を作り、仙人のように暮らした。全身を黒い服につつみ、どんな小さな獲物でも魔法をかけて、妖艶な標本にしてしまう。拾ったネズミの小さな骨ですら美しい絵画に変えてしまった。オキーフが俗世間を離れ、孤高の芸術家として生きたのは、いったいなぜだったのだろうか？

オキーフの才能を発掘したのは「近代写真の父」アルフレッド・スティーグリッツだ。彼は偉大な写真家であり

ながら、編集者、そして画廊のオーナーでもあった。ドイツ系ユダヤ人の裕福な家庭に生まれ、ニューヨークの五番街にギャラリー「291」を開設。アメリカに芸術としての写真を定着させた男だった。

ある日、スティーグリッツはオキーフが描いた木炭画を偶然、目にした。それは、オキーフが日本の装飾や抽象デザインから影響を受けた作品だった。まるで水墨画のように濃淡を強調し、まったく色彩のない抽象画で、オキーフが友人にプレゼントしたものだった。

スティーグリッツは1916年の初夏、この奇妙な木炭画に興味を持ち、すぐに本人に無許可でギャラリーに展示してしまう。しかも、展示する際の作者名が間違っており、「ヴァージニア・オキーフ」となっていた。信じられないような出来事だ。このことを知ったオキーフは怒って、ギャラリーに直接、苦情を言いに行った。しかし、そこでスティーグリッツが彼女にひと目惚れしてしまうのだ。ふたりの年齢差は、23歳。なんという運命の出会いだろうか。

略奪婚から寝取られ、そして砂漠へ

翌年には、ギャラリー「291」でオキーフ初めての個展が開催される。さらにスティーグリッツが撮った、オキーフのヌード写真作品も展示された。その戦略は見事に大当たり。

オキーフは一躍有名になった。この頃、スティーグリッツは無意識の研究で知られる精神科医のフロイトに傾倒しており、「性的なエネルギーが芸術を生み出す」と信じていたのだ。オキーフは、スティーグリッツの援助で画業に専念することとなり、ますます才能を開花させていく。ふたりはお互いの潜在能力を引き出しながら惹(ひ)かれ合い、1924年、スティーグリッツが妻と離婚した後、結婚。言ってみれば「略奪婚」だ。この時オキーフは37歳、スティーグリッツはまもなく61歳を迎えようとしていた。

しかし、幸せは長く続かない。ふたりの結婚の翌年、スティーグリッツはニューヨークに新しいギャラリーをオープンする。やがてスタッフであった、22歳の人妻で子どももいるドロシー・ノーマンと恋人関係になってしまう。

これが原因でオキーフは、重度のうつ病を患う。絵が描けなくなってしまい、静養のためにバミューダ諸島、ハワイ、ニューメキシコを旅した。そこでオキーフの心を癒してくれたのは、荒れ果てた砂漠だけだった。実は若い頃、オキーフはテキサスで美術の教員をしたことがあり、その頃に見た、何もない荒野の美が創作の源泉になっていた。侘(わ)び寂(さ)びを感じるような簡素な空間こそが、彼女の心を慰めたのだろう。

1940年には、ニューメキシコのゴーストランチ（Ghost Ranch／幽霊牧場）という奇妙な名前の街に小さな家を購入。古くから奇妙な幽霊伝説が多く残る荒涼とした場所で、野生動物の頭蓋骨にインスピレーションを受けながら、精力的に制作を再開した。そして、多くの時間をこの砂漠の家で過ごし、逆境の中でオキーフは苦しみと引き換えに、次々と傑作を生み出していく。

1946年には、ついにニューヨーク近代美術館で回顧展が開かれるまでになった。美術館はじまって以来の女性画家の個展だ。

しかし、人は何かを得れば何かを失う。オキーフが美術館での大成功をおさめた直後、スティーグリッツは82歳で亡くなった。

砂漠の「茶室」と花を愛して

彼女は、作品を美術館や学校に寄贈すると、ニューメキシコに移り住んだ。自らデザイン

した日干しレンガの家を建てたが、侘びた住まいの美しさはさながら茶室のようだった。そして亡くなるまでの40年近くを、砂漠の楽園で、聖なる隠遁者のように暮らした。そんな彼女の愛読書は、なんと岡倉天心の『茶の本（The Book of Tea)』。花について書かれた部分がお気に入りだったそうだ。

「人類の花への感謝の気持ちは、愛の詩と起源が間違いなく同じだ。無意識ながらも可憐、静かでかぐわしい花より、乙女の魂に安らぎを与えるものがあるだろうか？　原始時代の男たちは、恋人にはじめて花飾りを捧げることによって、野蛮を超越することができた。彼らはこうして、粗野な存在を超え人間となった。人は、役に立たないものの微妙な役割を悟った時、芸術の領域に踏みこむことができるのだ」（岡倉天心『茶の本』英文原著よりナカムラ意訳）

要約すると「花が存在する時、人は存在する。人は花に出会うことで、人になる」というような意味だろう。オキーフは、砂漠の中に建てた「小さな茶室」で花や自分と向き合うことで、人間の本来あるべき姿を見つけることができた。スティーグリッツに対する深い愛と憎しみを乗り越えるためには、どうしても聖なる茶室と花が必要だったのだろう。オキーフは、偉大なる写真家とのこじらせた恋愛に終止符をうち、結婚の失敗を画家としての成功へと変えたのだった。

オキーフは、84歳の頃になると次第に目が悪くなり、視野の中央の視力を失った。それでも陶芸作品などを作り続け、1983年の3月6日、98歳で亡くなった。遺灰は、生前の遺言によってゴーストランチの砂漠に撒(ま)かれた。自然が持つ威厳と生命力を描き続けたオキーフは、最期の最期で自らも大自然の一部となって、究極の作品を完成させたのだ。

フランス版「好色一代男」

アンリ・ド・トゥールーズ=ロートレック

Henri de Toulouse-Lautrec（1864-1901）

誕生日
1864年11月24日

出身地
フランス
タルヌ県アルビ

父
アルフォンス
（伯爵）

母
アデル

趣味
料理、
浮世絵の収集

性格
自由奔放

経歴

ポスターを芸術に変えたフランスの画家、版画家。
浮世絵に影響を受け、世紀末芸術を代表する作風を確立。
南フランスで最も古い貴族の家系出身。
娼婦や踊り子たちの夜の世界を愛したことで知られる。

キャバレーのロンドン公演のため制作されたポスター《マドモアゼル・エレガンティーヌとその一座》。踊り子をこよなく愛したロートレックらしい躍動感で描かれている。

アンリ・ド・トゥールーズ=ロートレック

こじらせ恋愛遍歴

- **0歳** 南仏アルビの伯爵家で生まれる
- **13歳** 怪我で脚の成長が止まる
- **22歳** シュザンヌ・ヴァラドンと恋に落ち、同棲
- **23歳** シュザンヌが結婚を迫り、狂言自殺
- **25歳** 酒場に入り浸り、退廃的な生活を送る
- **36歳** マルロメ城で両親に看取られ死去

南フランスの名門貴
族の長男として生ま
れる。
怪我が原因で、両脚
の成長が止まってし
まう。

洗濯婦シュザンヌ・ヴァラドンと出会
い、電撃的な恋に落ちる。
同棲するも、結婚をめぐり狂言自殺
を図られて女性不信に。

アンリ・ド・トゥールーズ=ロートレック

Henri de Toulouse-Lautrec

アルコールと娼婦と踊り子を愛し、傑作を生み出す。
梅毒におかされながら、斬新なポスターを描いた。

差別を受けたストレスからアルコール依存に。
マルロメ城で両親に見守られながら脳出血で死亡。36歳だった。

孤独な伯爵が愛した「洗濯婦マリー」とは?

ロートレックは、パリの浮世絵師だ。彼の作品を見ていると、浮世絵や日本の美術品のようにも感じる。構図や平面的な色彩のせいだろうか、日本の暮らしにもしっくりと馴染(なじ)む。ロートレックは、「浮世」に憧れたフランス人なのだと思う。彼は「浮世は夢(この世は夢のように、はかなく短い)」というモチーフを繰り返し、紙に焼き付けたのだ。

ロートレックは1864年に、南フランス有数の伯爵家の長男として生まれた。しかし、13歳の時に椅子から転倒して左脚を骨折、さらに翌年には道の溝に落ちるという事故により右大腿骨(みぎだいたいこつ)を骨折し、以後、両脚の成長が止まってしまう(先天的な骨格の病も患っていた)。

家族からは「小さな宝石」と呼ばれて可愛がられたが、彼は孤独を味わっていた。家に引きこもりがちだったロートレックは、次第に空想と絵画にのめり込んでいく。そんな彼を受け入れてくれたのは、キャバレーやサーカスであり、娼婦や踊り子たちだった。

22歳を過ぎた頃、濃い眉毛と鋭い目つきをした洗濯婦の美少女と恋に落ちる。それがマリー・ヴァラドンだった。彼女は、貧しい家庭で生まれ、サーカスで働いたが、空中ブランコから転落して負傷。洗濯婦であった母の仕事を手伝いながら、著名な画家たちのもとに洗濯物を配達する仕事をしていたが、ピュヴィ・ド・シャヴァンヌから誘われ、絵のモデルもするようになった。大酒飲みで自由奔放、恋多き女だった彼女は、友人たちから「恐るべきマリア」と呼ばれていたという。

シュザンヌ・ヴァラドン——烈しい情熱が狂わせた歯車

ヴァラドンは18歳の頃、未婚のまま息子を産んだ。のちに「白の画家」として有名になるエコール・ド・パリの画家、モーリス・ユトリロだ。父親はルノワールだとも噂されるが、定かではない。彼女は息子を母に預けながら、モデルと洗濯の仕事を続けた。女手ひとつで母と息子を養っていたのだ。

ロートレックは、そんな状態で子どもを育てているヴァラドンを深く愛した。初恋だったとも言われている。彼は、自分の恋人となってからも彼女がシャヴァンヌやルノワールのモデルをやめないことに嫉妬し、旧約聖書（『ダニエル書補遺』）の中でふたりの長老に水浴を覗（のぞ）かれる女性「シュザンヌ（スザンナ）」の名でヴァラドンを呼ぶようになった。ところがヴァラドンはこの名前が気に入り、「シュザンヌ・ヴァラドン」と自ら名乗るようになる。

しかし同棲（どうせい）をはじめると、情熱的なヴァラドンはロートレックに結婚を迫り、狂言自殺まで図った。この事件以降、純朴な青年ロートレックは女性不信となり、ふたりは別れることとなる。このことがきっかけか、彼は生涯、誰も愛せなくなってしまうのだった。

アルコール依存、幻覚――娼館という「浮世」から生み出す傑作たち

　ロートレックは女性不信のトラウマをバネにして、娼婦や踊り子のような夜の世界の女たちの生活ぶりを描いた。パリのムーラン・ルージュなどのダンスホールや酒場に入り浸り、退廃的な生活を送る。ついには娼館の中にアトリエを作ってしまうほどのめり込み、次々と傑作を生み出していった。ポスターの傑作として知られる「ムーラン・ルージュのラ・グーリュ」や「ディヴァン・ジャポネ（日本の長椅子）」は、4色しか使わないリトグラフ（石版画）による大胆な色使いと革新的なシルエットでパリの人々を熱狂させたのだ。

　しかし画家として成功したのも束の間、アルコール依存症になり、幻覚症状に悩まされるようになる。いるはずのない蜘蛛に向かって発砲したり、警察に追いかけられる妄想に取り憑かれ、友人宅に逃げ込んだりもした。

　最期は母の住むマルロメ城で、脳出血によって亡くなった。36歳、夭折した天才ラファエロや親友ゴッホよりも1歳若い死だ。なんと生き急いだ人生だろうか。

アンリ・ド・トゥールーズ＝ロートレック

Henri de Toulouse-Lautrec

一方、ロートレックにその才能を認められたシュザンヌ・ヴァラドンも有名な画家になった。息子のユトリロは10代でアルコール依存症になって苦しんだが、ヴァラドンは、ロートレックやドガの支援のおかげで画家として高く評価されるようになった。激しいタッチを特徴とした表現主義的画風だが、どこかロートレックの影響を感じさせる。

ヴァラドンはその後も恋多き自由奔放な人生を送った。そして、72歳で死ぬまで独自の力強い画風で描き続けた。

ロートレックとシュザンヌ・ヴァラドン、運命的に惹かれあい愛し合ったふたりは、2年の交際を経て結局は別れたが、ロートレックにとって初恋の人ヴァラドンはインスピレーションの源泉。ヴァラドンにとって彼は、画家になるよう自らを導き、名前までつけてくれた恩人なのだ。ふたりにとって、お互いが欠かせない存在だったことだけは間違いない。

ロートレックはこんな言葉も遺している。「人間は醜い。けれど人生は美しい」

やはり彼は本当の浮世を生きた、フランスの浮世絵師なのだ。

寝取られフジタの乳白色の人生

藤田嗣治

Léonard Tsugouharu Foujita（1886-1968）

誕生日

1886年11月27日

出身地

東京府牛込区

父

藤田嗣章（軍医）

母

政

趣味

手芸、仮装

性格

几帳面

経歴

「乳白色の肌」で知られるエコール・ド・パリの画家。
フランスに帰化し、レオナール・フジタと名乗った。
日本画の技法を油彩画に取り入れた画風で人気に。
猫と女を得意な画題とした。

藤田は気まぐれで野性的な猫をこよなく愛し、アトリエで何匹も飼っていた。《仕立て屋の猫》では、自らが愛した裁縫道具と猫をまるで自画像のように描いている。

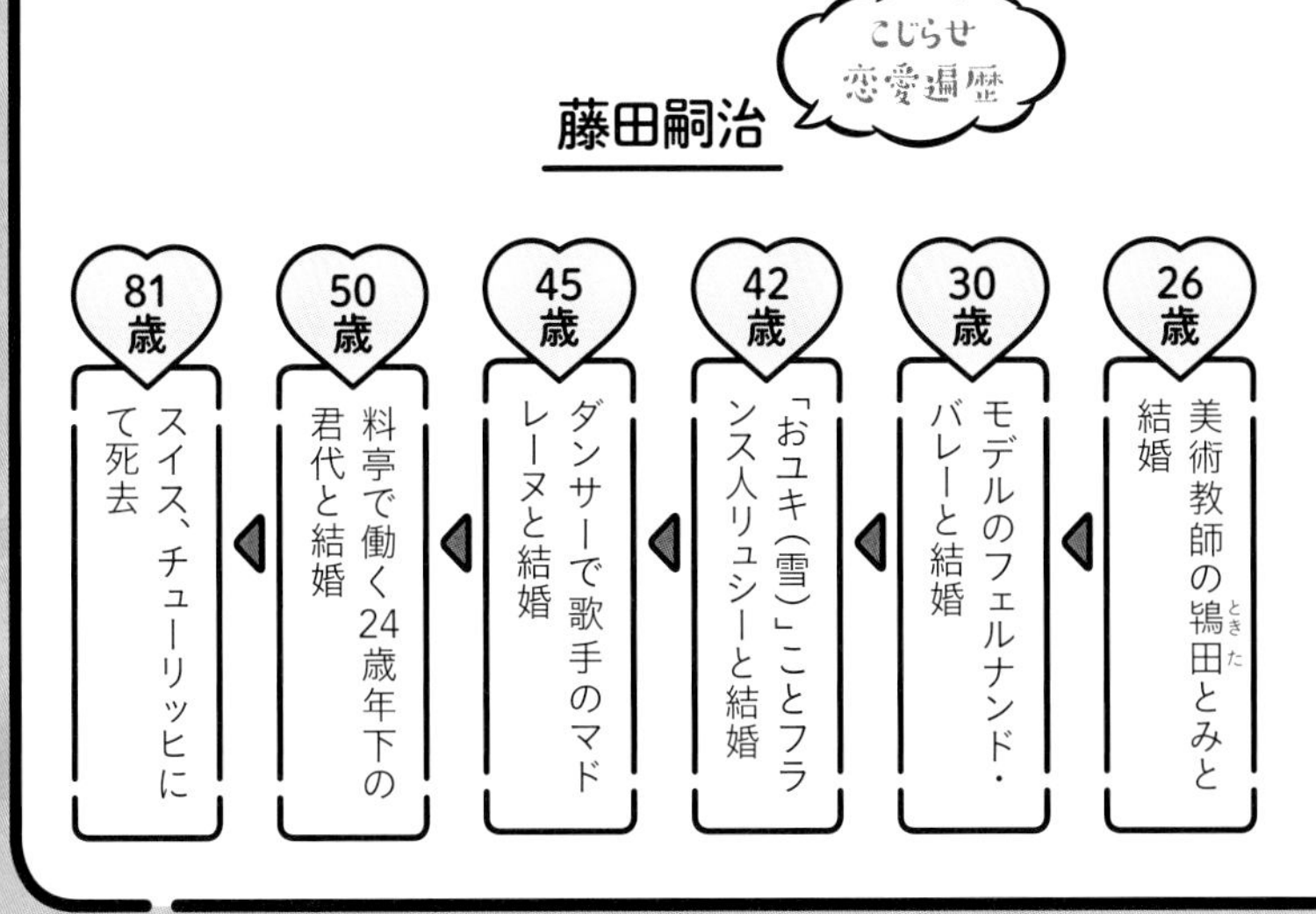

士族の軍医の息子。森鷗外とも親交のあるおぼっちゃま。
大恋愛の末に結婚するも、同年、単身フランスに留学して
あっさり破局。

パリのモンパルナスに
住み、ピカソやモディ
リアーニらと交流。
モンパルナスの女王キ
キをモデルに描き、パ
リ画壇の寵児に。

2人目の妻フェルナンド、さらに3人目の妻リュシーとも離婚。日本には戻らないと決め、1955年にフランス国籍を取得。

4人目の妻マドレーヌは急死、君代と5度目の結婚。
スイスのチューリッヒで病死。享年81。

モンパルナスのキキが「フジタ」を救った

　画家の眠れる才能やアイデアは、モデルによって引き出されることがある。パリで活躍した藤田嗣治（レオナール・フジタ）とキキの関係も特別だった。日本からやってきた売れない画家のフジタは、駆け出しのモデルで自由奔放なキキと出会うことで、「世界のフジタ」となった。いったい、ふたりの間に何が起きていたのだろうか……？

「彼女は華奢な小さい指を赤い口に当て、誇らしげにお尻を振りながら、全くこっそりと、はにかんで入って来た。コートを脱ぐと、彼女は真裸だった」

　初めて会った日のことをフジタは、『モンパルナスのキキ』に寄せた文章「わが友キキ」でこんな風に書いている。さらに、夏も冬もキキは決してパンツをはかない。昼も夜も食べることしか考えなかった――とフジタは回想する。

狂騒の1920年代。キャバレーの歌手、モデル、画家としても活動したキキは、「エコール・ド・パリ」とよばれるモンパルナスの芸術家たちに愛された女神だった。本名はアリス・プランだが、「キキ」の愛称で呼ばれた（「キキ」はギリシャ語で「アリス」の意味）。彼女はブルゴーニュの貧しい家庭に私生児として生まれ、12歳でパリに出た。戦時下の軍需工場で靴などの仮縫いの仕事をしながら、16歳になると芸術家たちのモデルをはじめる。キスリング、モディリアーニ、スーティン、写真家マン・レイなど名だたる芸術家たちのモデルだったことで知られるが、最初の大きな転機はフジタとの出会いだった。

ふたりが出会った時、最初にキキがフジタの肖像画を描いた（実はキキも絵を描き、のちに個展も開いている）。途中、歌ったり、叫んだり、カマンベールチーズの箱の上を歩いたりしながら、絵は完成した。そして、フジタにモデル代を払わせると、キキは意気揚々と出ていった。もちろん自分が描いた肖像画も持って。そしてすぐ、カフェで、金持ちのアメリカ人コレクターにこの肖像画を高い金額で売りつけた。

翌日には、フジタがキキを描いた。パリに来て初めての大作だった。キキの肌は牛乳のように白く透き通り、歯はキラリと光っていた。美しい歯を見せ

びらかすために、キキはよくバラの花を口にくわえていた。黒髪でおかっぱ、細い眉毛はマッチの燃えカスで描いていた。性格は自由で開放的、身体は豊満で官能的。日本からやってきた売れない画家のフジタは、その白さに魅了され、歌って、踊って、恋をした。

白い肌を描いた秘密の粉

フジタはこうして、1922年に大作「ジュイ布のある裸婦（寝室の裸婦キキ）」を完成させる。

キキの白い肌を強調するためにベビーパウダーの「シッカロール」をこっそり絵の具に混ぜ、白い肌を際立たせる黒く細い輪郭線は、日本から持っていった極細の面相筆で描いた。当時の西洋人には見慣れない、美しい墨色の線だった。キキの細い眉毛からヒントを得たのかもしれない。キャンバスは、シーツのような目の細かい麻布を張って手作りした。喜多川歌麿の美人画のような、独創的な油彩画だ。フジタは、浮世絵を真似（まね）したのではない。キキの中に浮世絵を発見したのだ。

サロンに出品すると、あらゆる新聞、雑誌が大きく取り上げた。この大作は、8000フラン（現代の日本円に換算すると数百万円）で収集家が買い上げた。それまでフジタの絵は、どんな作品でも7フラン50サンチ

ームでしか売れなかったというから、いきなり1000倍以上の値が付いたことになる。

これはフジタも不安になるほどの大金だったようだ。しかし、キキの反応は違った。フジタがお礼として相当な額を渡すと、彼女はあんぐりと口をあけてよだれを垂らした。そして1時間後、キキは花で被われた帽子をかぶり、モード雑誌に出てくるような派手なファッションでフジタのもとに現れた。こうしてキキは、モンパルナス界隈（かいわい）の女性たちを嫉妬の渦に巻き込んでいく。売れないモデルのキキは、フジタに描かれることでパリの美術界で有名になった。そしてフジタも、キキの白い肌を描くことで画壇のスターとなったのだ。

しかしその後キキは、警官を負傷させて裁判沙汰になったり、ドイツ占領下のパリで反ナチス運動のビラをまいたことでゲシュタポ（秘密国家警察）に追われたりと、波瀾万丈の人生を送る。さらに、陽気さを保つためか酒に溺れ、麻薬の密売で逮捕された。

晩年、キキは安い白粉（おしろい）で顔を真っ白に塗って変装し、パリのカフェでトランプ占いをしながら生計を立てていたという。彼女は最初から最後まで「白をまとった人生」だった。「純粋」「無垢（むく）」などのイメージを持つ白は、同時に「死」「霊」など不吉なイメージも暗示する色だ。

1953年3月23日、アルコールや薬物依存に陥っていた彼女は吐血し、パリのレネック病院に運ばれ、2時間後に息を引き取る。「モンパルナスの女王」は、51歳という若さで亡くなった。パリ中のカフェが彼女に花輪を贈ったが、ティエスにある墓地まで棺(ひつぎ)とともに歩いたのは友人のドマンゲと、画家はフジタだけだったという。

それでもフジタは生涯、キキとは恋人ではないと言い続けた。「僕は主義としてモデルには決して手をつけないことにしているんだ。そうしないとあの連中は手に負えなくなるから……それに考えてもみたまえ、僕は3000人もの裸を描いているんだぜ!」

キキとフジタは、特別なソウルメイトのような、仲の良い野良猫のような関係だったのだろう。フジタはこっそり「キキの白い肌とマッチの燃えカスで描いた細い眉毛が僕を救った。ありがとう」と祈ったのではと想像している。

5回の結婚——寝取られフジタの恋愛芸術

実は、フジタは、生涯に5回も結婚をしている。5人の妻は、日本人が2人、フランス人が3人。いずれも、女性側から浮気をされたり、事故死したりと、なかなかにこじらせている。

最初の結婚は、フランス留学を夢見ていた頃、女学校の美術教師であった「とみ」だった。「彼女と一緒にさせてくれなければ死んでしまう」と父にお願いし、大学の卒業を待って入籍。アトリエ付きの家も新宿の大久保に建ててもらった。そんな、大恋愛の末の結婚だったたが、単身での留学、士族であるフジタの家系と釣り合わないことなどが原因で次第に気持ち

は離れていった。

3年で成功すると約束し、父から留学費用を出してもらっていたフジタだったが、もちろんすぐに成功することもなく、結果として結婚も破綻した。画家として成功するまでは日本に帰らないと決心していたため、そのままフランスを離れなかった（ちなみに、離婚した妻のとみは再婚し母校の私立美術学校の教師となり、2度の結婚で子どもにも恵まれ、45歳で亡くなる）。

離婚したフジタは、現地で公私にわたるパートナーを見つける。2番目の妻となる、モデルのフェルナンド・バレーだ。フェルナンドというフランス人の現地協力者を得たことによって、フジタはフランス語を学び、フランスの習慣を身につけ、有名な画廊と契約を結ぶこともできた。そして、初めての個展を開催。しかし、フェルナンドが日本人画家の小柳正（ただし）と浮気をして、彼女との結婚生活もまたあっさり終わってしまう。

次の結婚は、21歳のフランス人リュシー・バドゥー。フジタは彼女をおユキ（雪）と呼んで可愛がり、1929年に16年ぶりに凱旋（がいせん）帰国する時にも連れて帰った。しかし、3度目の結婚も長くは続かない。ユキが、シュールレアリスムの詩人ロベール・デスノスと付き合うようになったことで、すぐに破局した。

1931年、45歳になったフジタは25歳の赤毛の踊り子マドレーヌ・ルクーを連れ、南米へ旅行に出かけた。2年間かけて夫婦で南米を旅したフジタだが、旅費がなくなったので、お金を作るために、1933年に再び日本に帰国。エッセイを出版したり、展覧会を開いたりして、すべて大成功をおさめる。その後1939年まで6年間、アトリエを建て日本で暮らした。マドレーヌは日本でシャンソン歌手として売り出されたこともある。しかし、フランスに一時帰国して1936年4月に再来日したマドレーヌは、その2か月後に急死してしまう。麻薬の過剰摂取による自死のような状態だったらしい。

マドレーヌが亡くなった年、50歳になったフジタは、料亭で働いていた24歳の堀内君代と結婚する。これが5度目で、最後の妻だ。文化の同じ日本人の妻を得て、フジタはようやく平穏な私生活を送れるようになった。君代夫人との生活は、1968年にフジタが81歳で亡くなるまで、32年間続いた。君代夫人も2009年に98歳で亡くなったが、フジタは5回結婚してひとりも子どもを残さなかった。彼は晩年「自分の描く子どもが、自分の子どもである」とよく語っていたそうだ。

それにしても、なぜフジタはこれほどまでこじれた恋愛を繰り返したのだろうか。フジタの女性遍歴を見ていると、彼は感情が不安定ないわゆる「メンヘラ」の女性に心惹かれる傾向があったのではと思えてくる。フジタにとって「こじらせ恋愛」と乳白色の発見こそが、傑作を描くために必要な魔法だったのかもしれない。

酒とスピードと強すぎる三人の女

ジャクソン・ポロック

Jackson Pollock（1912-1956）

誕生日

1912年1月28日

出身地

アメリカ
ワイオミング州
コーディ

父

レロイ・ポロック
（測量技師）

母

ステラ・メイ

趣味

飲酒、DIY

性格

気難しく、
おこりっぽい

経歴

戦後アメリカの抽象表現主義を代表する大スター。
「アクション・ペインティング」で時代の寵児となった。
妻のリー・クラズナーと新しい時代の絵画を開拓。
兄チャールズも画家、デザイナーとして活躍した。

ポロックの作品は《ナンバー31, 1950》など、数字で表現されているものが多い。数字のみであれば純粋な目で作品を見ることができると考えた。

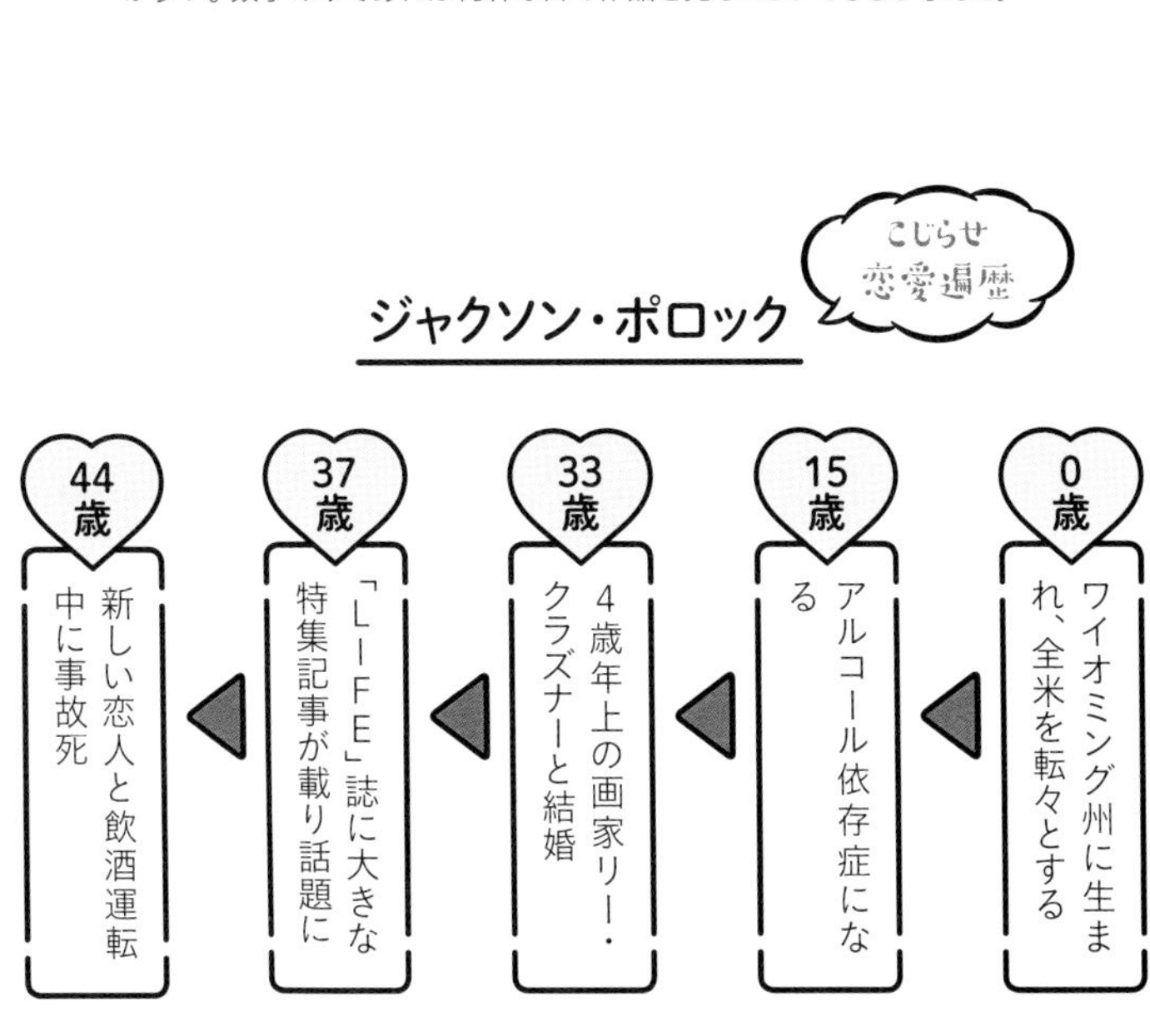

1912年、アメリカ西部のワイオミング州で生まれる。
アメリカ各地を転々としながら先住民の砂絵を見て育つ。

アルコール依存症により精神分析の治療を受け、絵画制作。
壁画で知られる画家トーマス・ハート・ベントンの指導を受けた。

ジャクソン・ポロック
Jackson Pollock

画家のリー・クラズナーと出会い結婚。
自然の中に暮らし、「ドリッピング」を考案、一躍スターに。

「アクション・ペインティング」の代表的な画家となるが、アルコール依存に苦しみ続ける。
愛人と友人を巻き添えに飲酒運転で自動車事故を起こし、44歳で死去。

知られざる「もうひとりのポロック」リー・クラズナー

最近クリエイティブディレクターの佐藤可士和が発表した有田焼の新作は、爽やかな青い顔料が白い皿に激しくドリッピングされていて、ポロックへのオマージュともいえる作風だった。このように、今や「飛び散った絵の具」はファッションのように消費されている。ポロックは、「音楽を楽しむように抽象絵画を楽しむべき」という野望を抱いていた。ある意味、彼の野望は叶ったと言えるだろう。そんなポロックの歴史的な成功を支えた、ひとりの芸術家がいた。妻で画家のリー・クラズナーだ。

近年、各国の美術館でも大きく展示されるようになったが、アーティゾン美術館に所蔵されている「ムーンタイド」という作品は特に印象深い。じっと見つめていると、夜の空を飛ぶ鳥の大群が浮かび上がってくるような奇妙で巨大な抽象画だ。クラズナーといえば、ジャクソン・ポロックの妻として、その創作に大きな影響を与えたことで近年注目されている。今でこそニューヨークのＭｏＭＡやスペインのビルバオ・グッゲンハイム美術館などで個展が開かれるようになったが、これまで、その存在は美術ファンにもほとんど知られてこな

かった。

ポロックを見出し育てたふたりの「強すぎる女」

リー・クラズナーは、本名をレナ・クラスナーといい、ウクライナからのユダヤ人移民の子としてブルックリンに生まれた。レナだと女性とわかってしまい差別されるので、アメリカ的な名前「リー（Lee）」と名乗った。

クラズナーは33歳の時、4歳年下の画家ポロックに出会う。彼女はすでに巨匠ハンス・ホフマン、ピエト・モンドリアンからも画家として高く才能を評価され、美術業界の事情に詳しかった。展覧会を前に、彼のもとを訪問したクラズナーは、作品を見て、圧倒的に打ちのめされてしまう。クラズナーから見たポロックは、やたらと神経質で繊細な「グリズリー（ハイイログマ）のような男」で、目が合えばすぐに視線をそらす。会話は苦手で、性格は気難しく、すぐにカッとなる。反骨精神に満ち溢れる無鉄砲なカウボーイだった。やがてふたりは一緒に暮らすようになった。

ポロックの作品にすっかり魅了されてからは、クラズナーは自分よりも彼の作品のプロモーションを積極的に行うようになる。有力な批評家や有名画家にポロックを紹介し、売り込み続けた。ポロックにとって、クラズナーは母親であり、ライバルであり、すばらしいマネ

ージャーだったと言える。

ちなみに、初期のポロックを支えた女性は、もうひとりいる。ニューヨークの大富豪でアートマニアのペギー・グッゲンハイム（父がタイタニック号事故で死去、莫大な遺産を相続したグッゲンハイム家の娘）だ。ポロックは、31歳の頃、後のグッゲンハイム美術館である非具象絵画美術館の保管係として働いていた。そこでオーナーの姪（めい）であるペギーと出会い、個展や自宅の壁画制作の依頼を受けることになった。ペギーは、「1日に1点」と決めて大量に作品を買い続け、アーティストを中心に恋人が100人いたという伝説の女性。マックス・エルンストの3番目の妻であり、サミュエル・ベケット、イヴ・タンギー、マルセル・デュシャンとの恋人関係についても自ら暴露しているほどだ。ペギーはまったく無名だったポロックに毎月一定の額を援助し、制作に専念できるようにした。

ポロックは、ペギー・グッゲンハイムによって見出され、リー・クラズナーによって育てられた芸術家なのだ。

こじれた生い立ちから東洋思想への傾倒

現代絵画の革命児、ポロックは生い立ちからしてこじれている。父親がアメリカンドリー

ジャクソン・ポロック
Jackson Pollock

ムを追い求め、測量技師としてアメリカ各地を転々とする暮らし。彼が8歳の時、父がアルコール依存症のため家族のもとを去り、兄が父親代わりになった（のちに兄チャールズも画家となった）。そんな複雑な暮らしのせいか、若い頃から精神的に不安定で、父と同じようにアルコール依存症となった。それでも兄の勧めでニューヨークの美術学校に入学。ところが、デッサンが大の苦手で、特に活躍することもないまま、アルコール依存をこじらせて26歳の頃には精神科病院に入院する。

いいことが何も起きない人生だったポロックは、インド生まれの思想家、ジッドゥ・クリシュナムルティの思想に傾倒する。講演を聴き、新しい人生の指針としていたのかもしれない。クリシュナムルティの思想は「孤独」を重要視した。ヨーロッパを中心とした思想に偏ることなく、独自のアイデンティティを持つことを大切にした考え方だった。「変わりなさい。そうすればあなたは世界を変える」このような考え方にポロックは心を揺さぶられた。「考えるな、感じろ（Don't Think, Feel!）」とのセリフで知られる俳優のブルース・リーも、禅やタオイズムと並んで、クリシュナムルティを崇拝していたことで知られる。こうしてポロックは、無意識が生み出す芸術の意味を追求し、作品を抽象化させていった。

そんなポロックはクラズナーと結婚し、ニューヨークから車で2時間

ほどの郊外にあるロングアイランドのスプリングス村に引っ越しをする。水道もひかれていない農家を修理しながら、畑を作り、静かな暮らしを始めた。漁の道具をしまう天井の高い納屋を改装し、アトリエを作った。そして、自然と一体化した生活の中でふたりは新しい絵画を描くようになる。ポロックとクラズナーの結婚生活は、自然との一体化を通じて、自らの「個」を捉え、本当の「自由」と「野性」を取り戻す実験でもあったのだ。

新手法「ドリッピング」の大成功とプレッシャー

新たな拠点を手に入れたポロック夫妻は、大きく羽ばたいていく。ポロックは巨大な納屋でくわえタバコで床に置いたキャンバスに向かい、クラズナーは母屋にある寝室をアトリエにして、まだ誰も見たことがないスタイルの絵画を制作しはじめた。

ポロックとクラズナーが模索していたのは、新しい抽象表現だった。ジョアン・ミロなどのシュルレアリスムの影響もあり、自動筆記的に描く「精神分析的ドローイング」のスタイルを研究していた。クラズナーも最初は印象派のような絵を描いていたが、結婚をしてポロックと一緒に暮らすと、彼と同じような抽象画を描きはじめ、ほとんど一心同体というような作風になっていく。

こうしてポロックは、キャンバスを床に広げ、筆、スプーン、木の棒などを使って家庭用のペンキをしたたらせる「ドリッピング」の手法を考え出した。子どもの頃から馴染んでいた、ネイティブアメリカンの砂絵やメキシコの巨大壁画からインスピレーションを受けた手法だとされている。

1949年、ポロックが37歳の時には「LIFE」誌に大きな特集記事も掲載される。問題児ポロックは一躍、アメリカを代表するスターとなった。しかし同時に、いきなり成功したことでプレッシャーに悩まされることにもなった。彼の作品は「無限に続く壁紙」と世間から揶揄(やゆ)され、ファッション雑誌「VOGUE」は彼の絵を背景にモデルを立たせ、絵は背景の飾りとして消費された。この頃、彼はこんなことを言っている。「リーがいなければ、僕はここまで生き延びてはいなかっただろう。彼女がいなかったら、僕は死んでいただろう」

それでもポロックは酒をやめられなかった。飲むだけでアルコールを中和するという高価な「乳液」をペテン師から買ったり、「アルコールを我慢しない新しい療法」を試したりと右往左往しながら酒を飲み続け、ますます病状は悪化していった。美術史上でアルコール依存症に苦しんだ芸術家はたくさんいる。ユトリロ、ロートレック、モディリアーニ。しかし、ポロックほど最初から最後まで酒に苦しめられた芸術家はそういない。

何がポロックを殺したのか？

1956年、ニューヨーク近代美術館が、大規模なポロックの展覧会を開く計画を伝えてきた。しかし、ポロックはすでに1年半も絵を描いていなかった。正確には、描けなくなっていた。うつ病とアルコール依存症も悪化し、妻のリー・クラズナーとの関係も破綻。彼には新たな恋人、画家志望のルース・クリグマンがいた。

7月になるとクラズナーは、彼とのあいだに距離を置くためヨーロッパに旅立った。ポロックも彼女と一緒に渡欧する予定でパスポートまで取得していたが、実際に旅立ったのはクラズナーひとりだけ。アトリエには、クラズナーの過去の作品を手でちぎって、ポロックのドリッピングの切れ端と貼り合わせた奇妙な共作とも言えるコラージュ作品と「予言（Prophecy）」をテーマにした作品が残されていた。

そして8月11日の霧深い夜、一台の疾走する車が、ニューヨークの郊外で道路脇の木に猛スピードで激突した。友人と恋人のルースを乗せた車を、大酒を飲んだポロックが運転し、ヒステリックに笑いながら猛スピードで飛ばしていたという。ポロックと友人は即死。まだ44歳の若さだった。ルースだけが一命を取り留めた。ヨーロッパで訃報を聞いた妻のクラズナーは、「自殺したの？」と思ったという。警察は飲酒運転による事故死と判断したが、結

ジャクソン・ポロック
Jackson Pollock

局のところ真相は誰にもわからない。ポロックは無意識のうちに、自らの死を願っていたのではないかという気もする。ニューヨーク近代美術館の展覧会は急遽（きゅうきょ）、彼の追悼展となり、ジャクソン・ポロックの名は伝説となった。ジェームズ・ディーン、グレース・ケリーなども交通事故のため亡くなって伝説となったが、ポロックの場合、自身の作風であるアクション・ペインティングと同じような激しい死を迎えることで、アメリカを代表する伝説の画家となった。皮肉な話だ。

生き残った恋人のルースは、仲間の画家ウィレム・デ・クーニングと恋仲になり、ポロックとデ・クーニングを混ぜたような作風で、画家として活動を続けた。さらに、ポロックとの関係についての回想録まで出版する。そして、ジャスパー・ジョーンズやフランツ・クライン、アンディ・ウォーホルなど名だたる芸術家たちと関わり合いながら80歳まで生きた（２０１０年死去）。なんとたくましい人生だろう。

妻のクラズナーも、ポロックの死後、遺された彼の絵画によって億万長者となった。ポロックのアトリエを使い続け、１９８４年に75歳で亡くなるまで夫の魂が乗り移ったかのように精力的に創作を続けた。それは彼女にとって苦痛ではなかったのだと思う。リー・クラズナーは最初から「もうひとりのジャクソン・ポロック」だったのだから。

奇妙な大家族を背負って

クロード・モネ

Claude Monet (1840-1926)

誕生日
1840年11月14日

出身地
フランス、パリ

父
クロード・アドルフ・モネ（食品雑貨商）

母
ルイーズ＝ジュスティーヌ・オーブレ（歌手）

趣味
庭作り、家庭菜園

性格
真面目

経歴

静穏な画風で知られる「フランス印象派の父」。
自然光を捉えた「積みわら」の連作などが有名。
ジヴェルニーの家と土地を購入し、「花の庭」と呼ばれる
庭園を造り、睡蓮を主題にした作品を制作した。

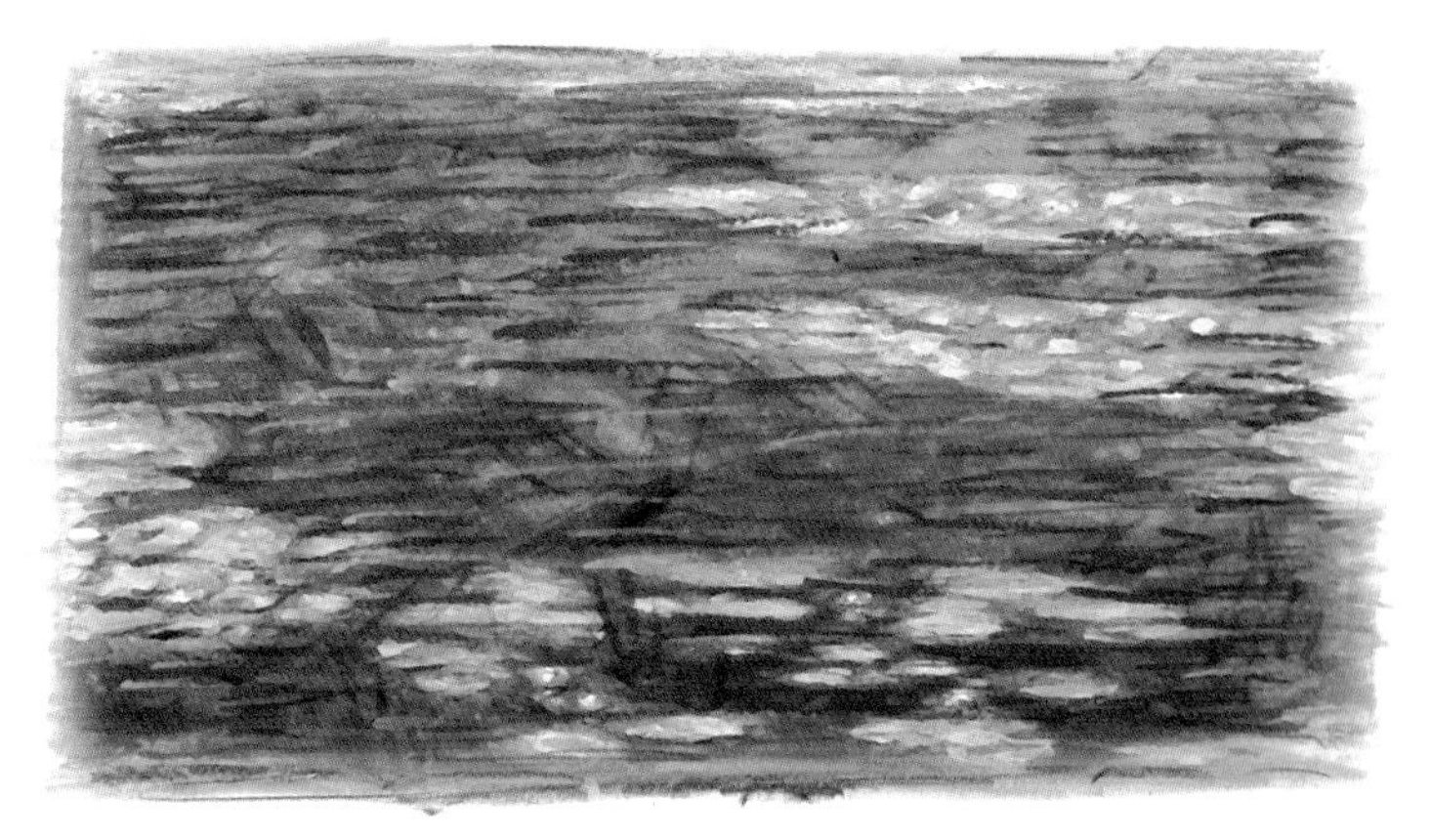

モネはパリ郊外ジヴェルニーに世界各国から睡蓮を取り寄せて理想の庭を作り上げた。そして、晩年30年間に約250枚もの《睡蓮》の連作を描いた。

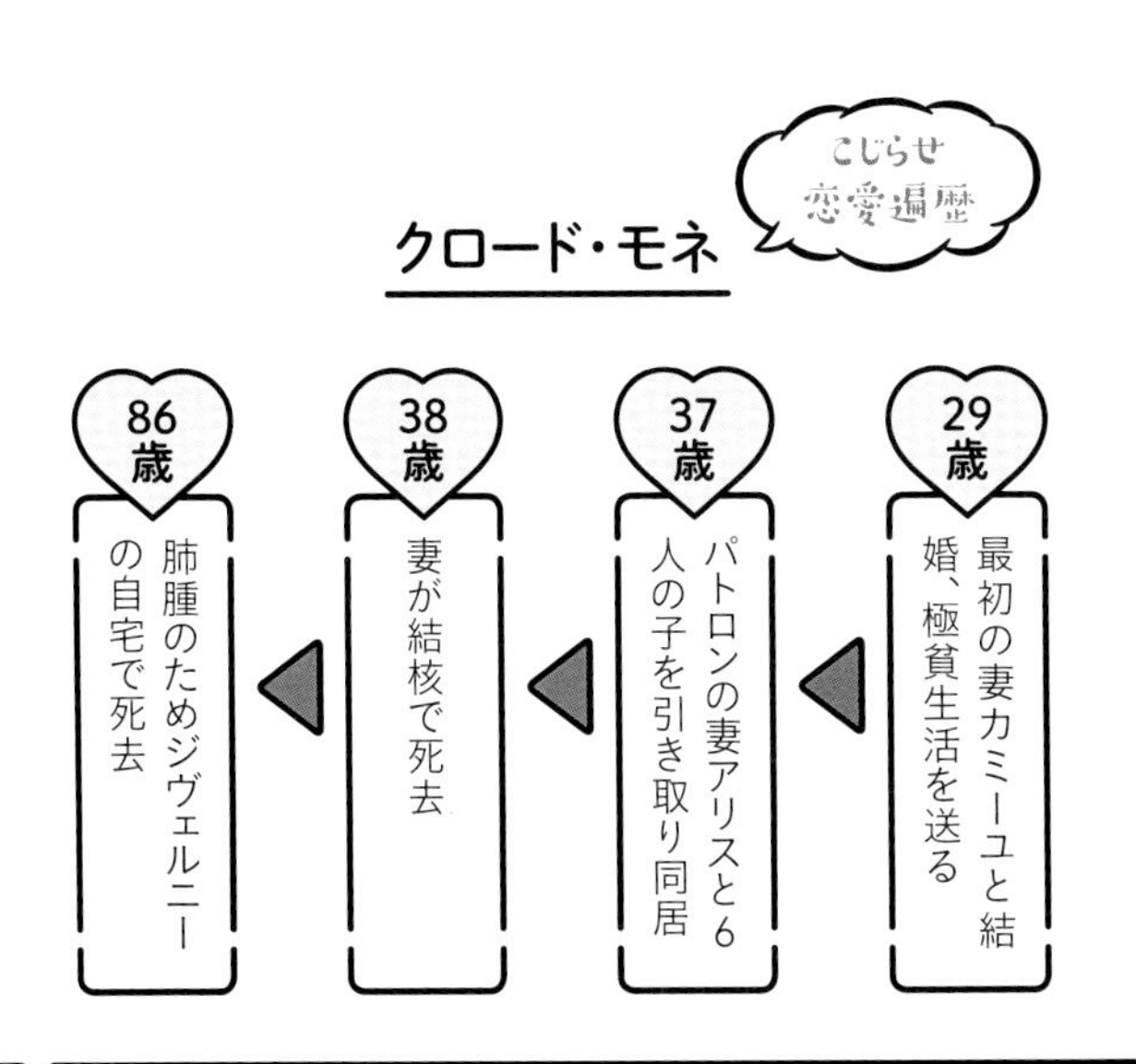

18歳の頃に風景画家ブーダンと知り合い、風刺マンガが評価され、画家を目指しパリへ。

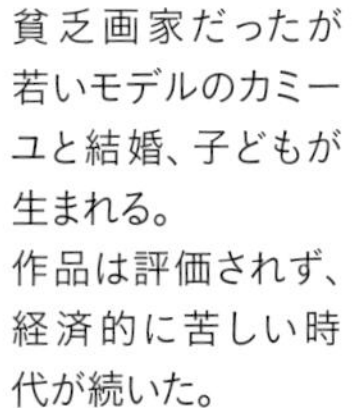

貧乏画家だったが若いモデルのカミーユと結婚、子どもが生まれる。
作品は評価されず、経済的に苦しい時代が続いた。

自殺未遂するほどの貧困を経て、パトロンの妻と禁断の愛。
印象派のグループも解散することになった。

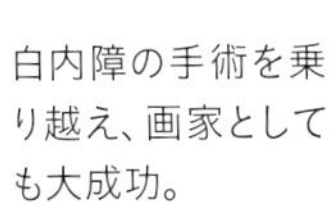

白内障の手術を乗り越え、画家としても大成功。
大家族を養いつつ、睡蓮の庭を描き楽園を作り上げた。

極貧の新婚生活とパトロンの失踪

「光の画家」クロード・モネは、色彩豊かな風景を眺め、その画風と同じように穏やかな人生を過ごした――そんなイメージはないだろうか。しかし実は、貧困による自殺未遂、愛する妻の早すぎる死、パトロンの夜逃げなど、壮絶な経験をしている。むしろ、その黒歴史や心に潜む深い影こそが、モネの絵具の下地となってキャンバスの絵の具を光らせているのだ。そして、奇妙な大家族を養わなければいけないという、現実的な側面もあった。

パリで画家の活動を始めた26歳のモネは、7歳年下のモデル、カミーユ・ドンシューと恋に落ちた。美しきカミーユは、10代から絵画のモデルとして仕事を始め、ルノワールやマネにも愛されたミューズだった。モネの代表作「散歩、日傘をさす女性」のモデルとなった女性としても知られている。しかし、身分が違うと両親には猛反対され、生活費の仕送りも断たれてしまう。モネは、とにかく貧乏だった。町の肉屋にまで借金があり、作品を差し押さえられそうになった時は、200点もの作品を自ら切り裂いたという逸話もある。残った50点ほどの作品は、まとめて二束三文で売

り払われた。

お金に困ったモネは勝負に出た。当時人気があったマネの「草上の昼食」に大きな影響を受け、彼とそっくりの手法で、背景を真っ黒に塗りつぶした「カミーユ」をサロンへ出品したのだ。そして、絶賛された。しかし、先輩画家のマネに名前が似ていたために、作風を真似している「パクリ画家」だと勘違いされてしまう。その後、妻カミーユとの間に長男ジャンが生まれるが、経済的にはさらに行き詰まっていく。とうとう、モネは愛するセーヌ川に身を投げた。しかし、死に損なった。

極貧だったが、画家仲間で親友のルノワールからパンを恵んでもらいながら、必死に描き続けた。カミーユとモネは家族からは認められていなかったものの、画家仲間には認められていたようだ。ギュスターヴ・クールベが立会人となり、ささやかながら結婚式も挙げている。

追い討ちをかけるように、モネのパトロンであった富豪エルネスト・オシュデの経営するデパートが経済不況のため潰れた。オシュデは妻アリスと6人の子どもたちを置いて、ベルギーへ夜逃げしてしまう。モネは、なんと自身の妻カミーユと子どもに加えて、パトロンの

妻アリスと6人の子どもの面倒まで見ることになった。

しかもこのアリス、実はモネの愛人のような存在だったというから、話はさらにややこしい。夫婦と愛人一家と突然の奇妙な同居生活の始まりだ。妻カミーユは病気がちで、モネは彼女の治療費にあてるためにも、とにかくたくさん絵を売る必要があった。そして、アリスがカミーユの看病をしたという。まるで「大家族」を描いたドラマのように、波瀾万丈な展開だ。

モネの連作は、奇妙な大家族を養うためだった？

実は、パトロンの妻アリスが産んだ末の男の子はモネの子だという説もある。オシュデが妻子をモネのもとに残して失踪したのには、もしかするとこのような複雑な恋愛関係があったのかもしれない。さらに、最愛の妻カミーユは、次男を出産した1年半後に32歳で亡くなってしまった。死因は結核とも、中絶に失敗したためとも言われている。

40代のモネには、もう画家として成功するしか道がなかった。とにかくたくさん絵を描いて、売りまくるしかなかったのだ。覚悟を決めたモネは、連作を描くようになる。大家族を養うためには、同じモチーフをとにかく描いて、量産するしかなかった。

同じテーマをずらして繰り返し描くというのは、日本の浮世絵や屏風(びょうぶ)絵の影響も大きい。ひとつの画題を様々な天候や季節、異なる時間で表現し、描きわけようと試みたのだ。実際にモネは、浮世絵のコレクターとしても知られているが、歌麿、北斎、広重など292枚も所有していた。構図や色彩だけでなく、北斎漫画などからも「連続性のある絵画表現」を学んでいた。葛飾北斎の「富嶽三十六景」のように「富士山」という同じモチーフを連作する浮世絵の様式がヒントになったのかもしれない。

連作というアイデアには、もうひとつ大きな源流となるきっかけがある。1870年、普仏戦争が始まるとモネは、徴兵を避けるためロンドンへと逃れた。そこで運命の出会いが待っていた。イギリスを代表する画家ターナー(1775-1851)の風景画だった。ターナーは、霧や大気をぼかして描く独特な描写で知られている。単なる写実ではなく、自然の移ろいゆく光を「感性で描く」スタイルだ。今では印象派の画家に比べると人気は低いが、むしろ、ターナーこそ「誰よりも早い印象派」だったと言っても過言ではない。モネは、ジャポニスムの反復する様式美とターナーの自然美を実験的に融合させようとしたのだ。

起死回生の「積みわら」、そして睡蓮へ

50歳の時、デュラン＝リュエル画廊で開催された個展で「積みわら」の連作を発表する。まるで古いアジアの仏塔のように描かれたわらの塊は、後光が差すように輝いていた。植物や同じモチーフが始まりも終わりもなく連続する絵画の手法は、古くから生命力や再生の意味を持つことが多い。あるいは、千体仏や曼荼羅（まんだら）などはリズミカルに繰り返す表現によって畏敬の念を表している。

この個展は大成功。「反復するモチーフ」「連続する色彩」は、ピサロから商業主義的だと批判されたが、整然と並べられた「積みわら」に、人々は新しい自由な表現を感じた。量産したことで、多くのアメリカ人コレクターを喜ばせることにも成功した。こうして、「ポプラ並木」「ルーアン大聖堂」「睡蓮（すいれん）」の成功へと繋（つな）がっていくのだ。

失踪した元パトロンのオシュデが亡くなった翌1892年、51歳のモネはアリスと正式に再婚。モネは画家として、経済的にも精神的にもしだいに安定していく。晩年には、ひた

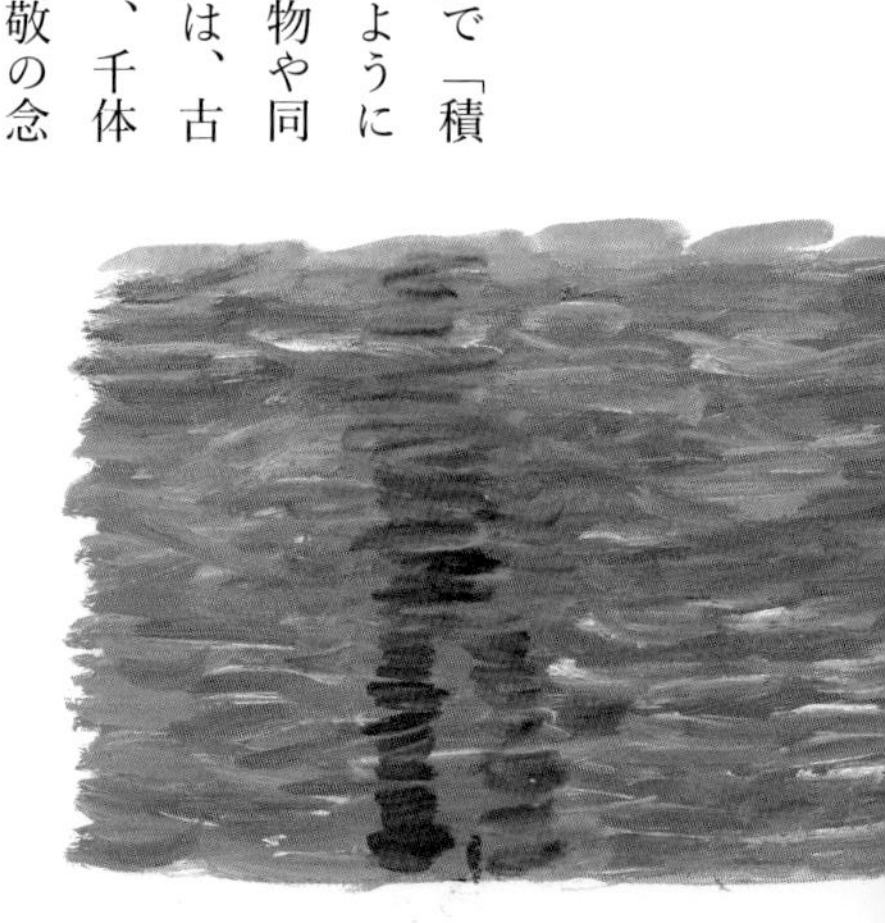

すら睡蓮の連作に取り組み、さらなる芸術の高みを目指した。200枚以上も描き続けた睡蓮の絵は、もはや極楽浄土を祈る僧侶の写経のようだ。

72歳の時には両目が白内障となり、82歳の時、右目はほとんど見えなくなった。左目の視力もわずかとなった時、モネは「ベートーヴェンが耳が聞こえないのに音楽を作曲したように、私は目が見えなくても絵を描く」と語ったという。

モネは、作品が「溶けたアイスクリーム」と批判されても生涯、同じスタイルで描き続けた。巨大なキャンバスには中心がなく、始まりも終わりもない。しかし、リアルな空気が伝わってくる。写実では伝わらないものを伝える、インスタレーション的絵画のはじまりだ。モネの作品は、美術が近代から現代へと移行する時代に、絵画を「意味」から「体験」へと変化させていく橋渡し役となったのだ。

モネは、奇妙な大家族のために作品を量産することで成功した。こうして多くのファンを魅了し、歴史に名を刻むことができたのだった。

手先は器用、恋には不器用

ミケランジェロ・ブオナローティ

Michelangelo Buonarroti（1475-1564）

誕生日

1475年3月6日

出身地

フィレンツェ共和国
カプレーゼ

父

ルドヴィーコ・ディ・
レオナルド・ディ・
ブオナローティ・
シモーニ

母

フランチェスカ・
ディ・ネリ・デル・
ミニアート・
シエーナ

趣味

詩の創作

性格

真面目

経歴

「神のごとき」イタリア、ルネサンス期の彫刻家、画家、詩人。
力強い写実性と古代の理想主義を融合した作風で知られる。
バチカン宮殿にある「ピエタ」、システィーナ礼拝堂の「最後の審判」
などの作品が有名。

ヴァチカンにあるシスティーナ礼拝堂の天井画の一部《アダムの創造》。ミケランジェロは、約4年の歳月をかけて制作した。

こじらせ
恋愛遍歴

ミケランジェロ・ブオナローティ

13歳
画家ドメニコ・ギルランダイオに弟子入りし、才能を発揮

17歳
顔を殴られて鼻骨が曲がってしまう

58歳
23歳の美しい貴族男性カヴァリエーリを溺愛

88歳
カヴァリエーリに看取られ死去したとされる

若くして芸術家として成功。存命中から伝記が出版されるほど。

ヴィットリア・コロンという貴族階級の未亡人が好きだった？

恋した青年たちに、
300篇（!）の詩を
書き贈る。

60代で出会った14歳の美少年にぞっこん。
88歳まで精力的に制作を続けた。

筋肉隆々の肉体を溺愛

ミケランジェロは、とにかく筋肉が大好きだ。ダヴィデ像のような作品を見ればよくわかる。レオナルド・ダ・ヴィンチが中性的な巻き毛の美少年を愛したのに対して、ミケランジェロが愛したのは、筋骨隆々の美しい肉体。スポーツマン体型の男性をこよなく愛した。一方で女の裸をまったく描けず、描けばまるで男の裸のようだと言われたとか。芸術は鏡だ。ミケランジェロのどの作品を見ても、モデルへの愛情とその肉体への執着が感じられる。

彼は、石の塊の中に眠っている男性的な力強い理想像を彫り出すことに、一生を捧げた孤高の職人だった。大理石の塊の中にはあらかじめ像が埋め込まれていて、彫刻家の仕事はそれを発見することだ、と考えていた。まるで鎌倉時代のリアリズム仏師・運慶のようでもあり、西洋と東洋の天才が同じことを考えているのも興味深い。

ミケランジェロ・ブオナローティ

Michelangelo Buonarroti

ミケランジェロは、イタリア中部の町カプレーゼに生まれ、すぐに石工の家へ里子に出された。13歳で画家の工房に入り、14歳からメディチ家の芸術家として活動をはじめた。

ある時、3歳年上の先輩彫刻家ピエトロ・トリジャーノと喧嘩（けんか）になる。あまりに才能がありすぎるミケランジェロに作品を馬鹿にされたと感じたトリジャーノが、彼の顔を殴ったのだ。ミケランジェロはこの時に鼻の骨が大きく曲がってしまい、元に戻らなかった。そのため、生涯、外見に対するコンプレックスを抱えていたらしい。もともと内向的な性格で頑固者だったが、鼻の一件でさらに性格が曲がってしまったのか、人付き合いがとにかく苦手だった。敬虔（けいけん）なカトリック教徒で、質素を好んだこともあるが、外出する時も寝る時もずっと同じ作業着姿だったそうだ。

このように性格はこじらせ気味のミケランジェロだったが、芸術家としては、20代で早くも代表作となる「ピエタ」と「ダヴィデ」を発表するなど早くから成功した。彫刻で使う大理石は、産地であるカラーラの石切り場まで自分で採りに行く。かの有名なシスティーナ礼拝堂の天井画は、4年間、首が曲がってしまうほどの集中力をもって自分ひとりで描き上げた。まさに芸術に身を捧げた人生だ。いったい、ミケランジェロの創作の原動力は何だったのだろうか？

私は君の体を覆う服になりたい

ミケランジェロは、生涯結婚していない。しかし、ヴィットリア・コロンという貴族階級の未亡人を愛し、情熱的な詩を交換したこともあったそうで、バイセクシュアルだったとも言われている。

詩作が趣味だった彼は、300篇以上の詩（ソネット）を遺しているが、そのほとんどは恋した青年たちに贈られたもの。青年を恋い慕う感情が、素直に、そして生々しく綴られている。

中でも最も有名な青年が、ミケランジェロが55歳の時に出会ったトンマーゾ・デ・カヴァリエリだ。23歳のローマの貴族で、ミケランジェロとの歳の差は35歳。美貌と教養を兼ね備えた比類のない青年だったらしい。ミケランジェロの弟子ヴァザーリは彼について、「ミケランジェロの情熱の対象であり、ミューズであり、手紙、数多くの詩、芸術作品のインスピレーションの源泉となった若いトンマーゾを無限に愛していた」と書いている。

ミケランジェロが遺した300の詩のうち30はカヴァリエリに

こじらせ
Love

捧げたものと言われ、出会ってから死ぬまでデッサンを贈り続けた。きっと心の底から愛していたのだろう。最も有名な詩の中でミケランジェロは、「カヴァリエリの体を覆う服になりたい」という願望を表現しているほどだ。カヴァリエリは、ミケランジェロの彫刻作品「La Vittoria（勝利）」のモデルにもなっているが、美しい青年に踏まれている年老いた男のモデルは、ミケランジェロ自身であると考えられている。

プラトニックな愛のうちに死す

さらに、カヴァリエリは「ガニュメデスの誘拐」という作品も贈られている。ワシに襲われた筋肉質の男性が描かれた絵画で、ゼウスがすべての人間の中で最も美しいガニュメデスに欲情し、彼を誘拐するためワシに変身したという伝説を描いたものだ。神話上では「牧童」とされるガニュメデスを、ミケランジェロは青年のカヴァリエリに似せて描いている。

このように無限の愛を注いだミケランジェロだが、当時のイタリアは、キリスト教の倫理観によって同性愛が禁じられていた。カトリック信者であったミケランジェロとカヴァリエリの関係は、あくまでプラトニックなものだったと言われている。

その後、カヴァリエリは結婚するが、ふたりの関係はミケランジェロが亡くなるまで続く。ちなみにカヴァリエリの息子であるエミーリオは、オペラの誕生のきっかけともなった「レチタール・カンタンド（歌いながら語る）」を考案したひとりと考えられている。ミケランジェロの芸術家センスが、彼の人生や家族にも影響を与えたのかもしれない。

ミケランジェロは88歳で亡くなるその時も、最愛の人、カヴァリエリの腕の中で息を引き取ったと言われている。傍目（はため）にはこじれて見えるかもしれないが、これほど幸せな人生があるだろうか。

生涯、芸術に身を捧げ、美の本質を発見し削り出したミケランジェロ。彼の魂から生まれる葛藤、こじらせが、魔力のように作品に滲（にじ）み出して、いつの時代の人々も魅力するのだろう。

妻の恋人は僕の恋人

アルベルト・ジャコメッティ

Alberto Giacometti (1901-1966)

誕生日
1901年10月10日

出身地
スイス
ボルゴノーヴォ

父
ジョヴァンニ・
ジャコメッティ
(画家)

母
アネッタ

趣味
絵画、版画

性格
内向的

経歴

身体を細長く伸ばした彫刻で知られるスイスの芸術家。
20世紀で最も重要な彫刻家とも呼ばれる。
1988年に発行されたスイスの100フラン紙幣には
ジャコメッティの肖像画が印刷された。

『歩く男』シリーズは、46歳の頃にようやく辿り着いたジャコメッティの記念碑的作品。細長い彫刻は、人間の儚さと強さを同時に表現している。

こじらせ恋愛遍歴

アルベルト・ジャコメッティ

42歳 スイスのジュネーヴでアネット・アルムと出会う

48歳 細長い彫刻で作風を確立。アネットと結婚

50歳頃 妻アネットの恋人で日本人の矢内原をモデルに制作

64歳 故郷のスタンパに滞在中、心臓発作で死去

スイスのちいさな村で
印象派の画家の息子
として生まれる。

ジュネーヴでアネット・アルムと出会い、のち結婚。

46歳で針金のような彫刻を生み出し、有名に。

妻の恋人で、友人である日本人哲学者・矢内原伊作（やないはらいさく）を繰り返しモデルに制作した。

古いもの好きの変わり者

イギリスの画家フランシス・ベーコンが、NHK「日曜美術館」で放送されたインタビューでこんなことを言っていた。「ジャコメッティも、私と同じ同性愛者であることを告白すればよかったのに……」この発言には、驚いた。ジャコメッティは、結婚していた。さらにモンパルナスの酒場で出会った娼婦キャロラインとも生涯を通じて仲良くしており、彼女をモデルにした肖像画を30点も残している。女性が好きだったのではないのだろうか？

ジャコメッティは、変わり者だ。パリで活躍した売れっ子彫刻家でありながら、いつもうす汚れた服で街をさまよい歩いていた。1926年から亡くなる1966年まで、浴室も流し台もない古いアトリエでひたすら制作に没頭した。この質素なアトリエに妻のアネットとふたりで住み、食事はほとんどカフェで済ませていた。汚れた服と、粘土の詰まった爪がトレードマークだった。

そして、古いものが好きだった。特にバロック時代の作曲家ヘンデルを愛した。ヘンデルの音楽は「わざとらしさも誇張もなく、自然で、最も開かれた音楽だ」と彼は考えていたらしい。ベートーヴェン以後のロマン派音楽は「あまりにも技巧的で、主観的であり、芸術的であり過ぎる」として好まなかった。「最もすぐれた芸術は、芸術を感じさせない芸術にある」というのが彼の持論。神経がたかぶっている時にヴェルディのオペラ『椿姫』などが聞こえてくると、「なぜヘンデルをかけないのだ」と激怒したという。変わり者なうえに頑固者だ。

芸術家一家の息子は、幼少期からこじらせ気味

アルベルト・ジャコメッティは、イタリア国境近く、スイスの山奥にあるスタンパという村で育った。父親のジョヴァンニは、スイス印象派の画家。兄はパリのピカソ美術館の家具なども手がけた家具職人、下の弟ブルーノは建築家。要するに、スイスが誇る芸術一家だった。父は、子どもたちを裸にして絵画のモデルとしたという。このような環境が、ジャコメッティの鋭い感性や、少しこじれた性的嗜好(しこう)を育んだのかもしれない。彼は、寝る前に「灰色の城でふたりの男を殺し、ふたりの女を犯し、殺す」という奇妙な空想を思い描くのが習慣だったという。

父のジョヴァンニは、「アルプスの画家」として知られるセガンティーニの弟子でもあった。19世紀末頃に活躍したセガンティーニは、アルプスを描く風景画を得意としたが、哲学を学び、

象徴的にモチーフを捉え、枯れ木すら「母親」に見立てて描いた先進的な画家だった。多かれ少なかれ、父を通じて、セガンティーニはジャコメッティの作風に影響を与えていると思う。

ジャコメッティは、20歳でパリに出て彫刻を学んだ。しかし、すぐに写実で本質は摑めないと感じ、記憶をもとに制作することをはじめる。現実を表現しようとすれば、小さくするしかなくなって、さらにジャコメッティにとっては、細長くすることで完成するのだ。削ぎ落とされると何も残らない「人間の空虚さ」は、ゴツゴツとした表面をもったオブジェとなって、立ち上がってきた。ジャコメッティが46歳の頃にようやく、「歩く男」など、後によく知られる細長い彫刻スタイルにたどり着く。こうして、シュルレアリスムの作家としても評価されるようになっていった。

10年ほど前にスイスを一周した時、スタンパの近くの村を訪ねたことがあるが、鋭く尖った山々が並び、針金で作ったような大地だと思った。ゴツゴツした山肌は、ジャコメッティのブロンズ像のように青い空を突き刺していた。

最愛の男は、妻の恋人だった

ジャコメッティの創作に大きな影響を与えたのは、日本の哲学者である矢内原伊作だ。

アルベルト・ジャコメッティ
Alberto Giacometti

矢内原はサルトルやカミュに惹かれ哲学を研究し、フランスの国立科学研究センターの招聘で1954年秋からパリに留学した。ある時、矢内原はインタビューのためジャコメッティを訪ねる。激しい雨が降る日、カフェで矢内原に会ったジャコメッティは、端整な容姿と豊かな教養、芸術的感性を備えた彼にすっかり魅了されてしまったらしい。

1956年の暮れ、帰国を決めた矢内原がジャコメッティにそのことを告げると、それでは記念に肖像を油絵で描こうという話になった。しかし、ジャコメッティは何度も描いたり消したりしながらデッサンするため、帰国を何度も遅らせなければならない事態になる。結局、矢内原は72日間にわたり、1日の休みもなくモデルを務めることとなった。

ジャコメッティは矢内原に恋をしてしまい、なんとかして一緒にいたいと考えたのではないだろうか。矢内原もまた、それに応じるように1956年から61年にかけて繰り返し渡仏している。世にも奇妙な遠距離恋愛がはじまった。

「一九五六年の秋、私は、すでに二年間のフランス留学の期間が終って帰国しなければなら

ない状況にあったが、帰国を延期して、来る日も来る日もジャコメッティのアトリエに通ってポーズを続けた。ジャコメッティは私の顔を描くことに熱中し、一日も休むことなく私の顔を描き続けた」（矢内原伊作『芸術家との対話 付・ジャコメッティと私』より）

午後2時頃から始めて、10時か11時になるまで途中で1時間ばかり休憩する以外、ジャコメッティは筆を置かなかったという。終わる頃にはふたりはくたくたに疲れ、外で一緒に食事するのは夜の12時頃。しかし、ジャコメッティは店に座るとテーブルにある紙に矢内原のデッサンをしたという。ジャコメッティは、来る日も来る日も顔を描いては消し、消しては描き続けた。対象を写すのではなく、周囲に流れる空気、雰囲気をすべて取り込んで再現しようとした。

ところで、この時ジャコメッティには妻がいた。矢内原と出会う5年ほど前に、22歳下のアネットという女性と結婚しているのだ。そして実は、矢内原は妻アネットとも不倫関係にあった。しかも、矢内原とアネットとの関係は、ジャコメッティ公認だったというから驚きだ。ジャコメッティが「自分は不能者だ。アネットが困るなら、誰かいい青年とアネットを共有してもいい」とふたりのいる前で口にして、明らかにそそのかしていたらしい。彼なり

に悩んだ末の、三角関係だったのだろうか。愛する妻と愛する友人と自分。3人が、互いに愛し合うという関係を大切にしていたのだ。

ジャコメッティは「近代の目で見るからこそ、古代や中世のもの（芸術）に動かされるのだ、つまり私はグレゴリア聖歌を最も近代的、或い（ある）は最も現代的な音楽として聴いているのだ」と語っていたらしい。人間関係においても、原初的な一妻多夫のような状態を現代的だと考えていたのかもしれない。

矢内原伊作をモデルにした作品は、十数点の油絵と、2点の彫刻がある。彼がモデルを務めた日数は、5年間で合計230日にもなった。晩年、ジャコメッティは胃癌（いがん）を抱えながらも精力的に制作を続け、64歳の冬、心臓発作で亡くなった。人間の空虚さ、愚かさといった本質を真っ直ぐに見つめる純粋な眼差（まなざ）しこそが、ジャコメッティの作品を美しく輝かせているように思える。

愛する日本人哲学者は、妻の恋人。きっと矢内原と過ごした5年という歳月は、人生で最も豊かな時間だったに違いない。

「モンパルナスの女王」キキ

こじらせ恋愛美術界相関図

エコール・ド・パリの画家たちに愛されたモデル、歌手。本名はアリス・プラン。短いおかっぱ頭、白い肌、切れ長の眼で知られ、彼女自身も画家として活動した。

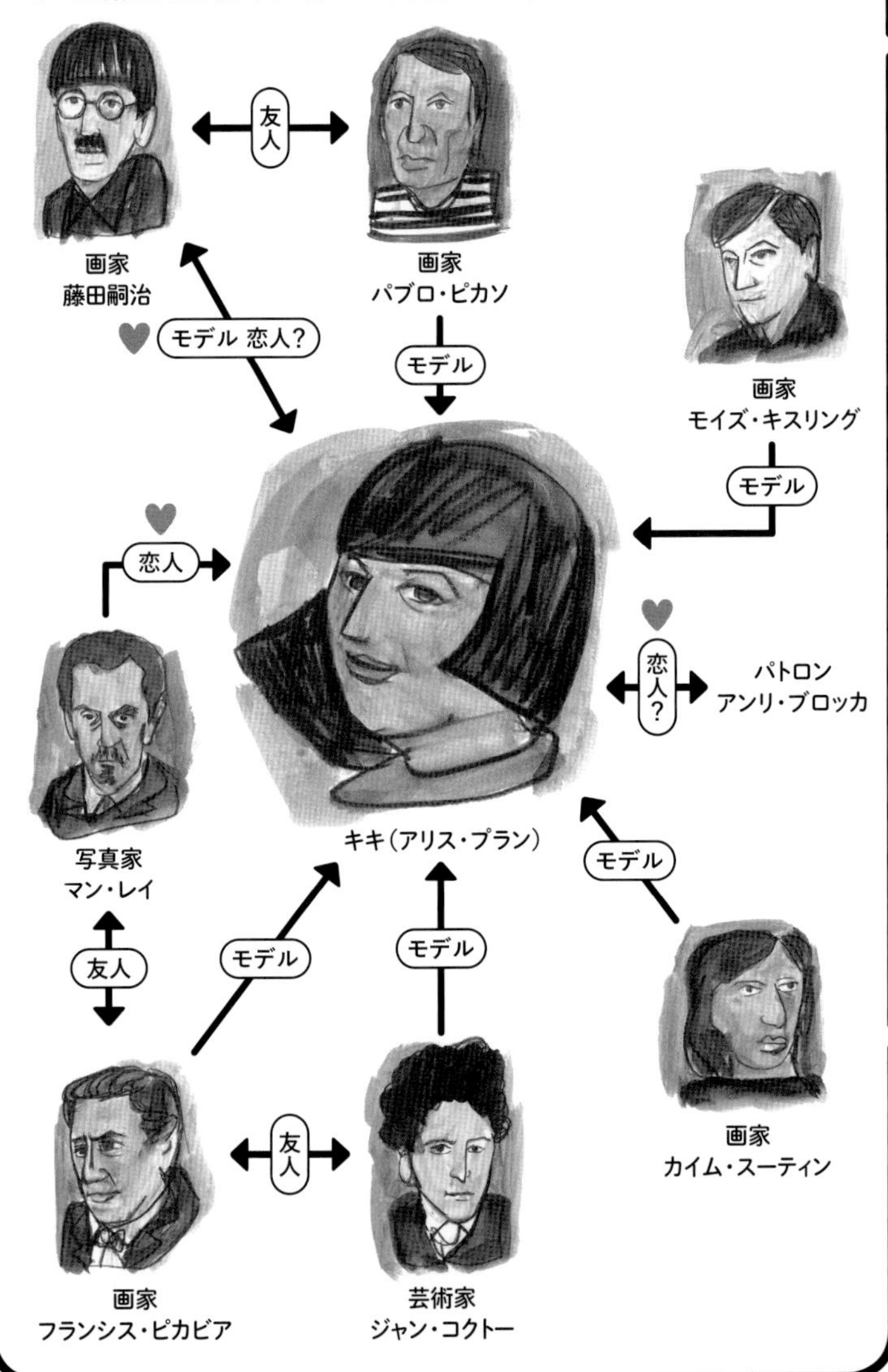

天才たちに溺愛された女神 アルマ・マーラー

世紀末ウィーンの妖精と呼ばれた伝説の美女。あらゆるジャンルの芸術家たちを魅了し、彼らの才能を開花させたことで知られている。

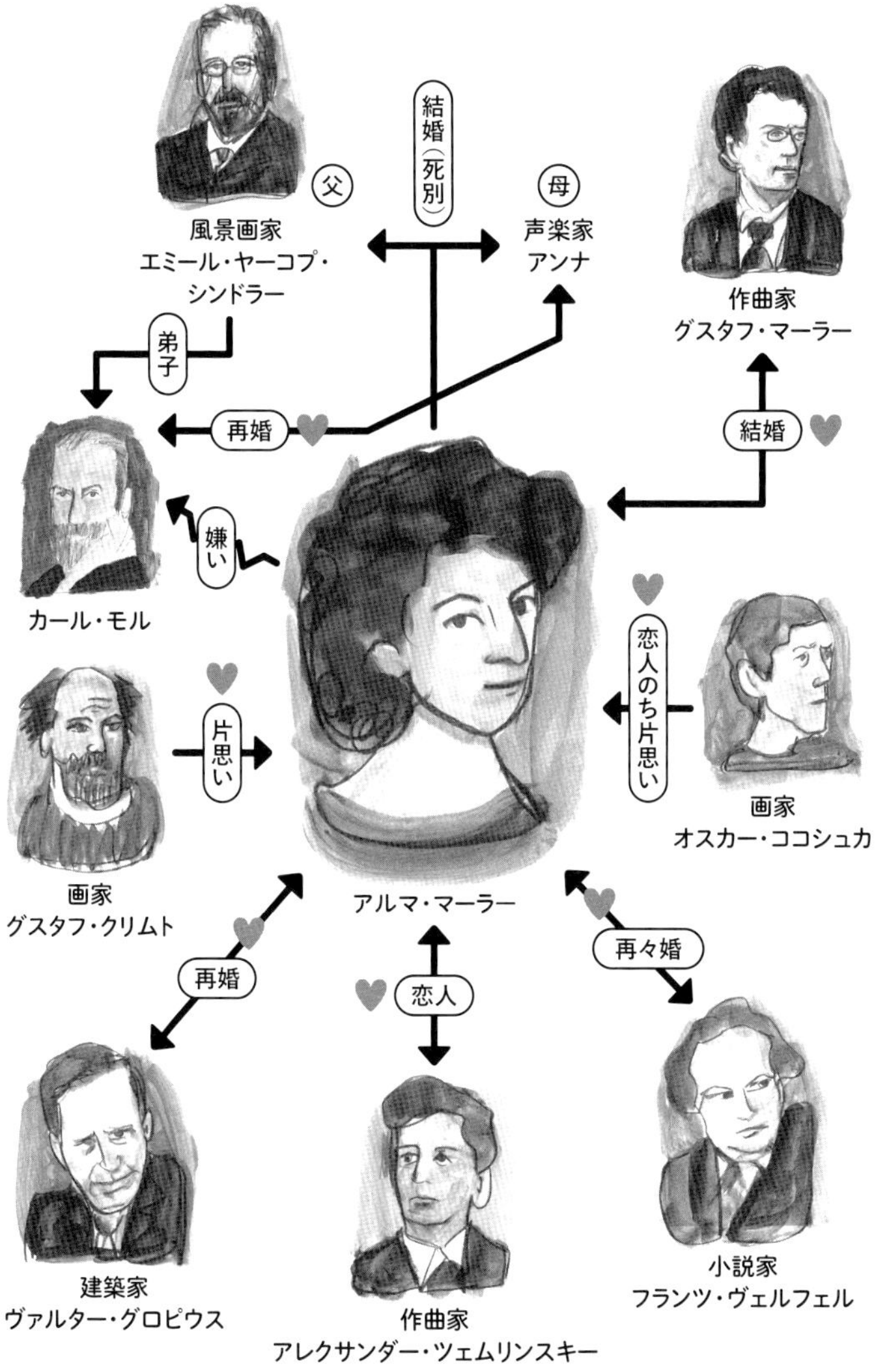

父
風景画家
エミール・ヤーコプ・シンドラー

結婚（死別）

母
声楽家
アンナ

作曲家
グスタフ・マーラー

弟子

再婚

結婚

カール・モル

嫌い

恋人のち片思い

画家
オスカー・ココシュカ

片思い

画家
グスタフ・クリムト

アルマ・マーラー

再婚

恋人

再々婚

建築家
ヴァルター・グロピウス

作曲家
アレクサンダー・ツェムリンスキー

小説家
フランツ・ヴェルフェル

パリの母性 シュザンヌ・ヴァラドン

ルノワール、ロートレック、シャヴァンヌなど有名画家のモデルを務めながら、ドガに師事し画家として活躍した。ユトリロの母でもある。

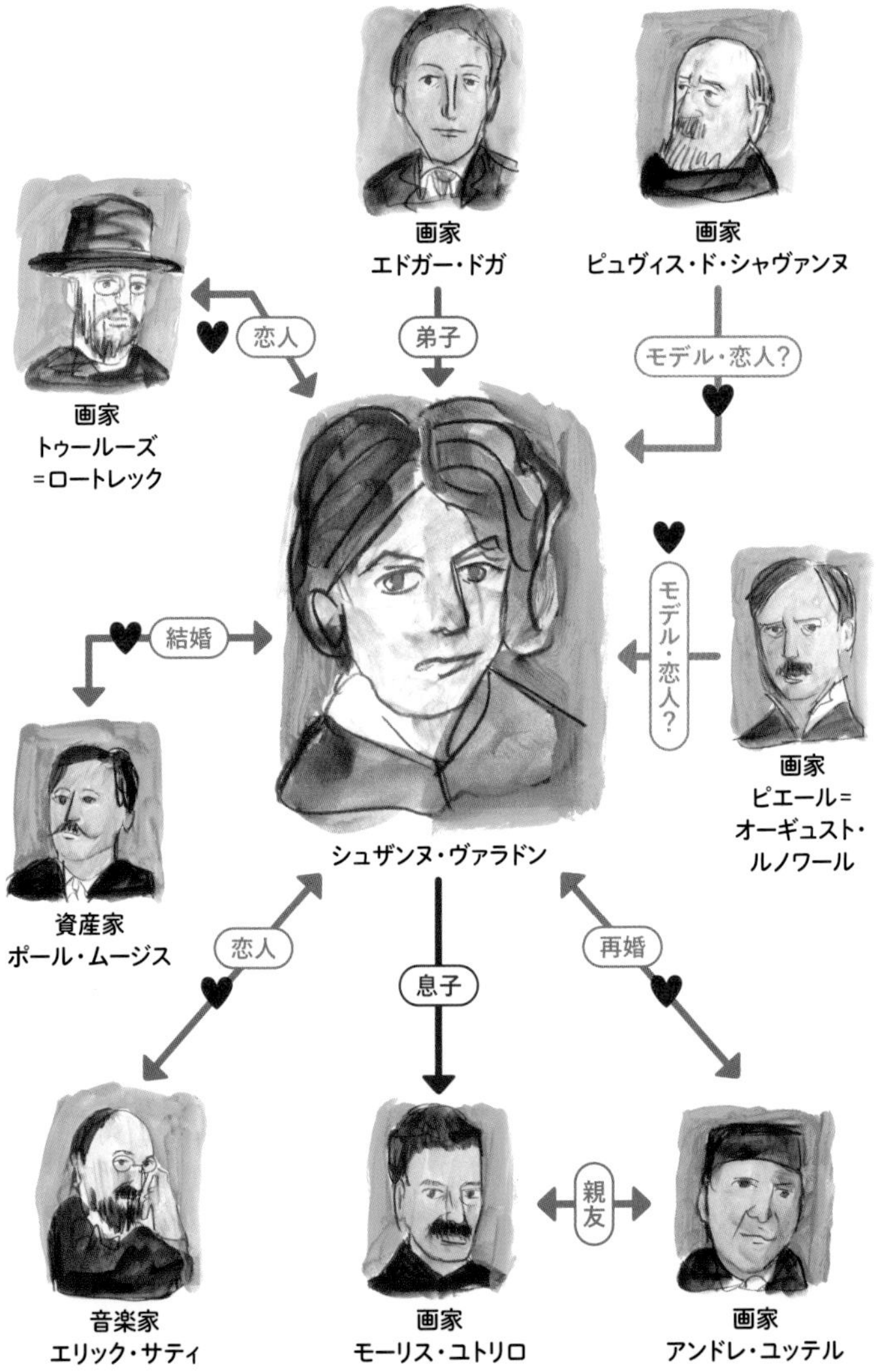

画家
エドガー・ドガ

画家
ピュヴィス・ド・シャヴァンヌ

画家
トゥールーズ
=ロートレック

恋人

弟子

モデル・恋人?

結婚

モデル・恋人?

画家
ピエール=
オーギュスト・
ルノワール

資産家
ポール・ムージス

シュザンヌ・ヴァラドン

恋人

息子

再婚

親友

音楽家
エリック・サティ

画家
モーリス・ユトリロ

画家
アンドレ・ユッテル

印象派のヒロイン ベルト・モリゾ

マネの絵のモデルとしても知られる、印象主義を代表する女流画家。夫は、エドゥアールの弟で画家のウジェーヌ・マネ。

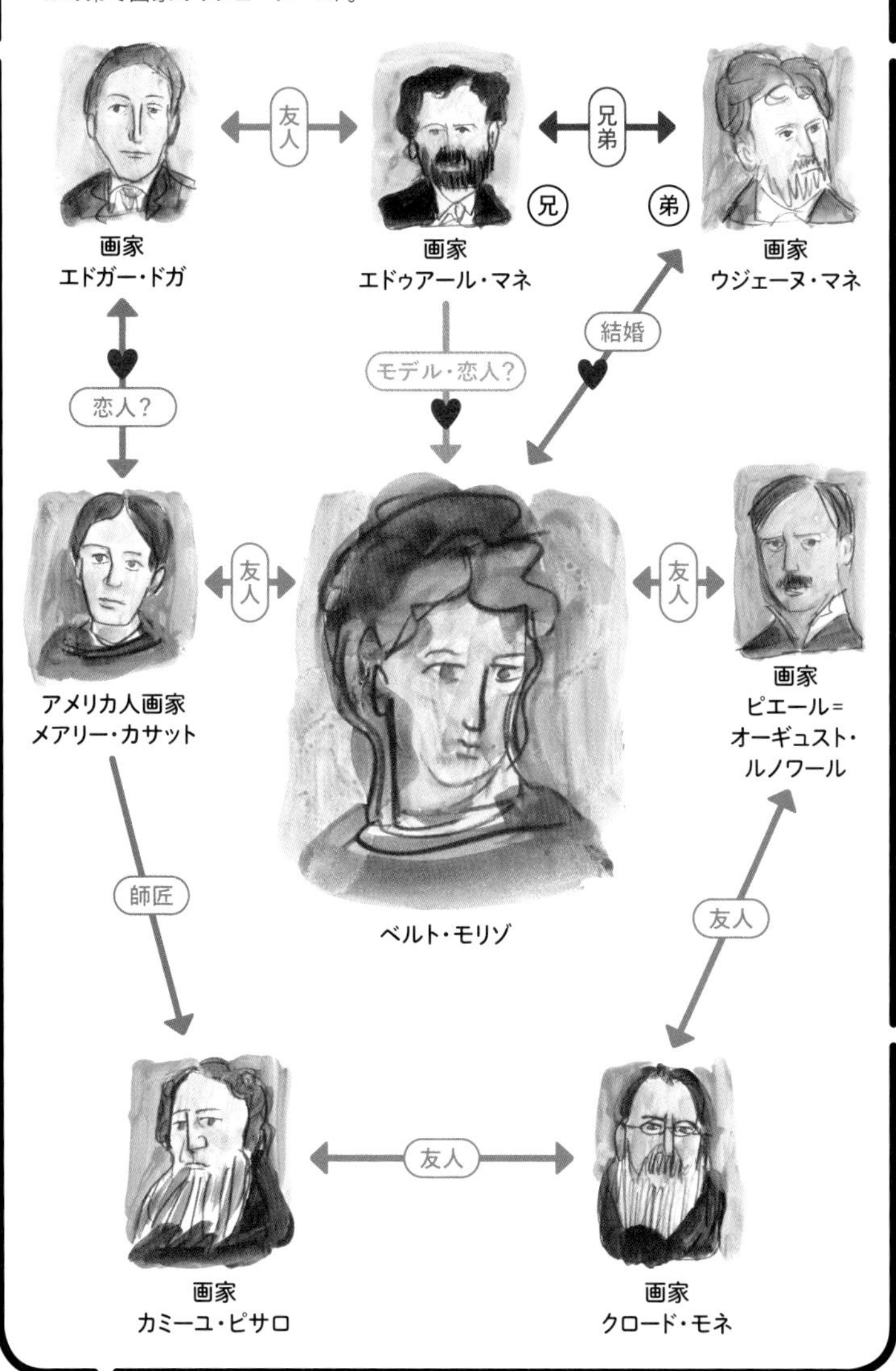

ロンドン社交界の花 エフィー・グレイ

思想家ジョン・ラスキンの元妻。彼が支援していたラファエル前派の画家ジョン・エヴァレット・ミレイと再婚し、大スキャンダルとなった。

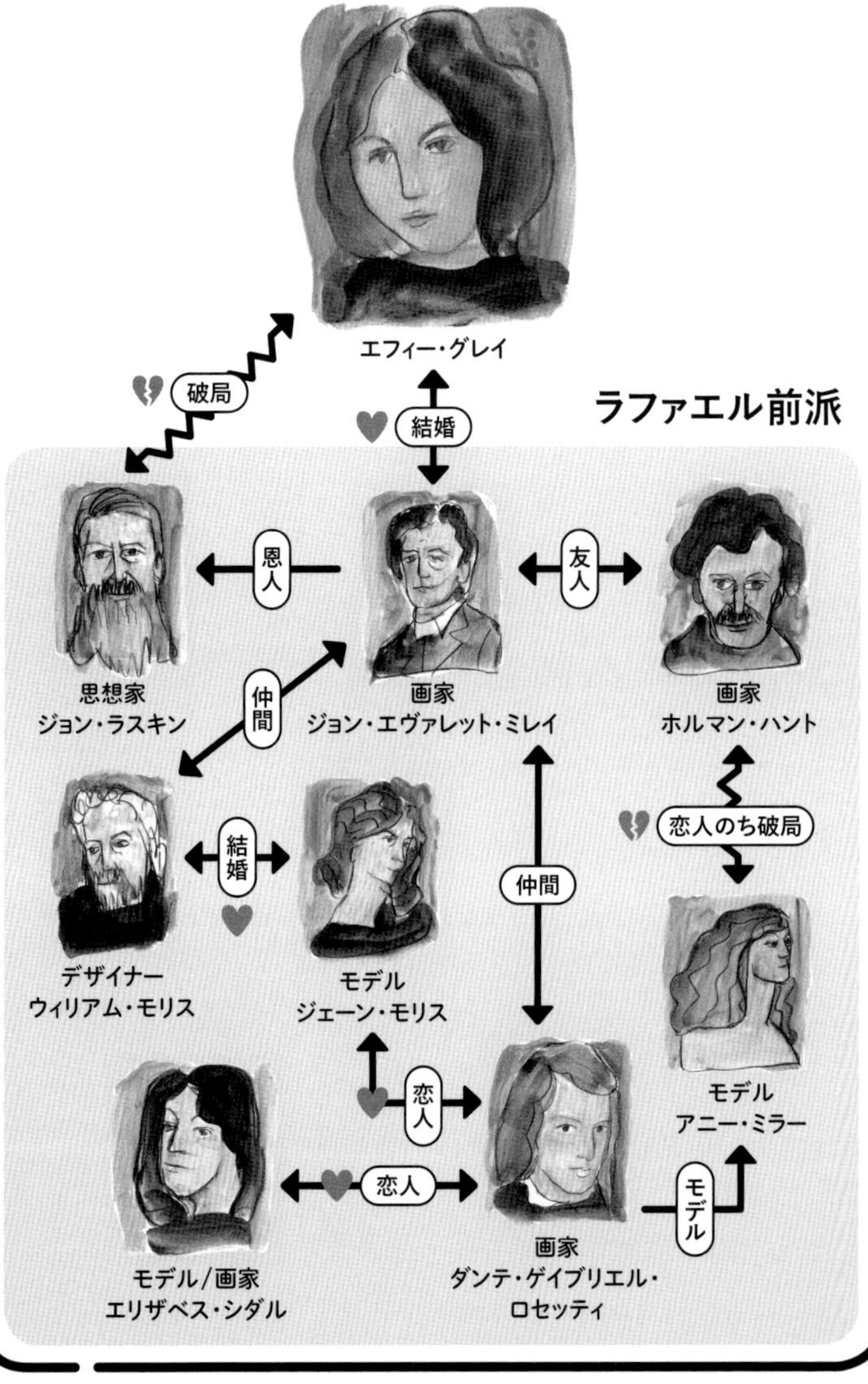

エフィー・グレイ

ラファエル前派

破局

結婚

恩人

友人

思想家
ジョン・ラスキン

画家
ジョン・エヴァレット・ミレイ

画家
ホルマン・ハント

仲間

恋人のち破局

結婚

仲間

デザイナー
ウィリアム・モリス

モデル
ジェーン・モリス

恋人

モデル
アニー・ミラー

恋人

モデル

モデル/画家
エリザベス・シダル

画家
ダンテ・ゲイブリエル・
ロセッティ

知られざる恋模様 アンリ・マティス

大胆な色使いとシンプルな造形美で知られるフォーヴィスム（野獣派）の代表的な画家。「色彩の魔術師」とも呼ばれる。

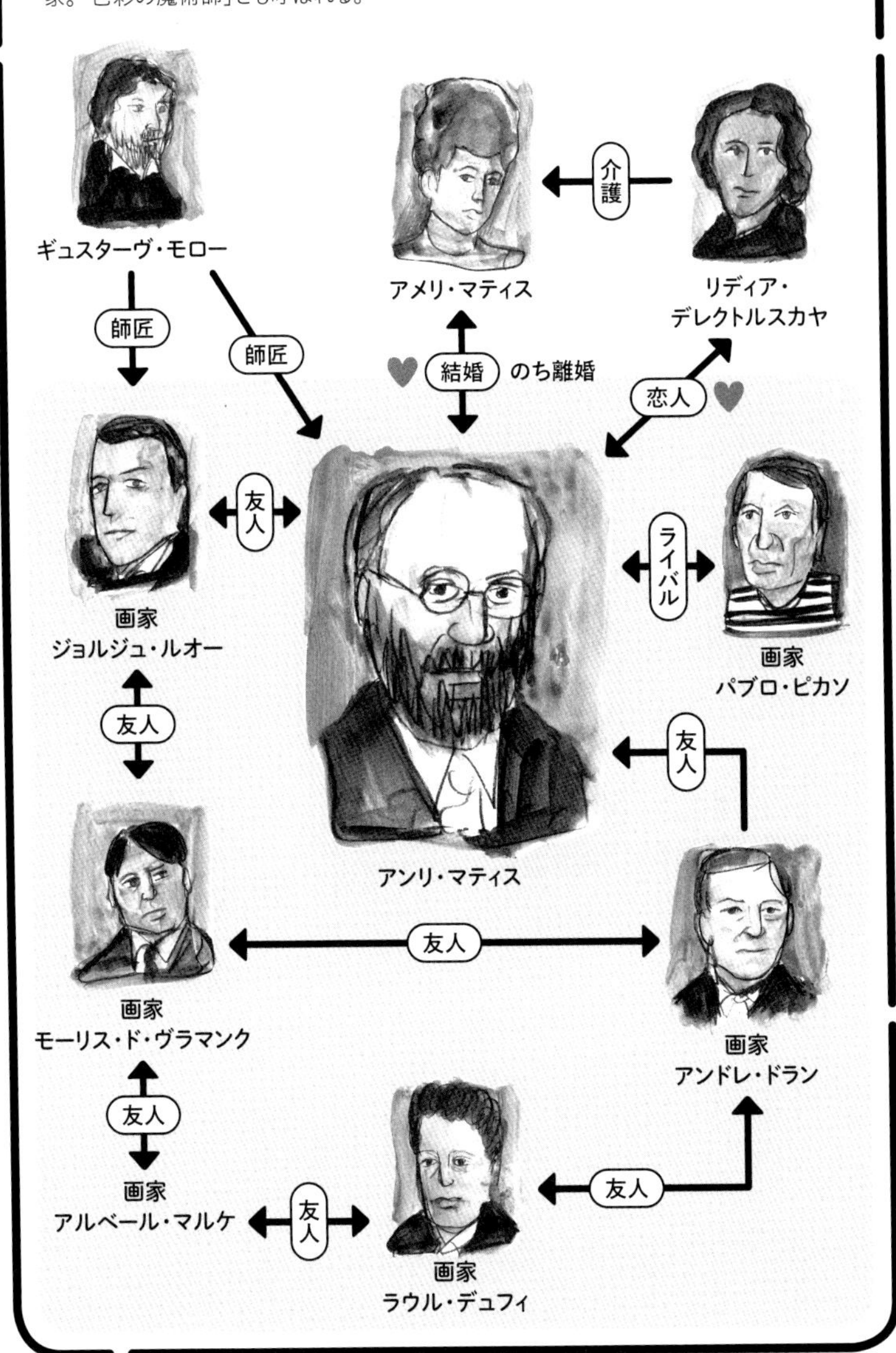

ラファエロ・サンティ(1483-1520)

優雅な美男子で誰からも好かれた人気者。しかし度を越した性行為で体力が落ちたことが原因で死んだとも言われている。

パルミジャニーノ(1503-1540)

優雅な天使のような顔立ちで、ナルシシスト。浪費が原因で契約を破ったことにより投獄。37歳の若さでこの世を去った。

ピーテル・パウル・ルーベンス(1577-1640)

弟子は100人。エレガントな外交官でもあり、今で言う「イケオジ」。53歳の時、16歳のエレーヌ・フールマンと再婚した。

アンソニー・ヴァン・ダイク(1599-1641)

肖像画を「芸術」に高めイギリスで大成功。貴族の娘と結婚し、妻と愛人との間にそれぞれ娘がいた。

エドヴァルド・ムンク(1863-1944)

モテモテで、数々の女性と恋愛を繰り返した。しかし生涯、女性に対する恐怖心を強く抱いていた。

ジュール・パスキン(1885-1930)

エコール・ド・パリの貴公子。アルコール依存症とうつ病に苦しむ。友人の妻リュシーと不倫関係になり、最後は自死した。

こじらせすぎ恋愛画家の系譜

カミーユ・コロー(1796-1875)

バルビゾン派として懐かしい農村の風景を描き、大成功したフランスを代表する画家。貧しい画家に対して支援するなど、芸術に人生を捧げた人としても知られる。「絵画こそ恋人」と考えていたようで、恋愛にはまったく関心を示さず、78歳で亡くなるまで独身だった。

エドガー・ドガ(1834-1917)

バレエの踊り子を繰り返し描いたことで有名なドガは、性格が気難しく、人付き合いが苦手だった。10歳年下のアメリカ人画家で弟子のメアリー・カサットを慕っていたとも言われるが恋愛をしていた形跡はなく、生涯独身を通した。

アントニ・ガウディ(1852-1926)

真面目な働き者でベジタリアン。同じスペインの天才ピカソとも仲が悪く、仕事に没頭してばかり。好きになった女性からはフラれ続け、一度も恋愛が成就しないまま73歳の時、バルセロナの街角で路面電車にはねられて亡くなった。

フェルナン・クノップフ(1858-1921)

ベルギー象徴主義を代表する画家クノップフは、6歳下の妹マルグリットに異常なまでの執着を持っていた。描いた絵のモデルはほとんどがマルグリット。様々な衣装を着せてコスプレ写真を撮るのが趣味だった。

ヘレン・シャルフベック(1862-1946)

フィンランドの国民的画家。3歳の時、階段から落ちて足が不自由に。20代で恋人に婚約を破棄され、50代で19歳年下の画家に恋をするが、彼は別の女性と結婚。失恋に深く傷つき、83歳まで生涯、孤独の生活を送った。

レオノール・フィニ(1907-1996)

仮面と猫を愛したイタリア系アルゼンチン人の女性シュルレアリストで、自分をモデルにした幻想的な作風が知られている。バイセクシャルで自由な恋愛を追求するあまり、男性たちと集団生活を送った。晩年もふたりの男性と20匹の猫に囲まれて過ごした自由人。

おわりに――いのち短し、恋せよ芸術家

ここ数年、画家のこじらせたエピソードばかり調べていたら、美術史上のさまざまな事件やトラブルなどにすっかり詳しくなってしまった。誰が長生きで、誰が短命だったとか、何がきっかけで芸術家を目指したとか、どのように挫折したとか、何歳の時にどうやって亡くなったとか。

恋多き芸術家も非常に多く、マックス・エルンストや藤田嗣治、北大路魯山人(きたおおじろさんじん)などは4回も5回も結婚と離婚を繰り返した。しかし、「生涯、独身だった芸術家」も多いことに興味を持った。彼らは、人生の最期まで全身全霊をかけて制作を続け、仕事に没頭するあまり家族や社会の制度に縛られない自由な生き方を貫いた。偉大な芸術を生み出すには、「孤独」や「疎外感」ですら絵の具となるのだ。

例えば、生涯独身といえばボッティチェリ、ラファエロ、ダ・ヴィンチ、ミケランジェロ、カラヴァッジョなどが知られている。近代ではムンク、ゴッホ、ロートレック、ドガ、コロー、カサット、モロー、クリムト、ガウディ。さらに日本の画家では伊藤若冲(じゃくちゅう)、片岡球子(たまこ)、田中一村(いっそん)、岡本太郎。音楽家ではベートーヴェン、ブラームス、シューベルト、サティ。文

学者ではルイス・キャロル、カフカ、宮沢賢治、モーパッサン、スタンダール。哲学者だとショーペンハウアー、ニーチェ、キルケゴール、カントもみな生涯独身だった。こうやって並べてみると、研究や仕事に人生を捧げた生き方も潔くて美しいと思う。

偉大な芸術について壮大な理想を語っていた思想家ジョン・ラスキンでさえ、私生活では極度のマザコンで、妻のエフィーから離婚裁判を起こされ、婚姻無効を訴えられたりしている。さらにラスキンが支援した若き画家ミレイとエフィーは再婚し、一大スキャンダルを巻き起こした。なんと人間味がある生き方だろうか。

芸術家たちの自由で不器用な生き様を見ていると、ちょっと勇気をもらえたような気がした。もっと自由に、一度きりの人生を後悔しないように生きればいい。彼らは作品を通じて、我々にそんな大切なことを教えてくれているのかもしれない。

この本がささやかながらも芸術と芸術家の人生をより深く理解する一冊となってくれたらうれしく思います。美しいデザインに仕上げてくれたNILSON design studioの望月昭秀さん、林真理奈さん、編集の高梨佳苗さん、本当にありがとうございました。

ナカムラクニオ

こじらせ美術館
ブックガイド

- 湯原かの子『カミーユ・クローデル 極限の愛を生きて』(朝日文庫)
- アンヌ・デルベ『カミーユ・クローデル』渡辺守章訳(文藝春秋)

- 『レオナルド・ダ・ヴィンチの手記』杉浦明平訳(岩波文庫)
- 斎藤泰弘『レオナルド・ダ・ヴィンチの謎』(岩波書店)
- ウォルター・アイザックソン『レオナルド・ダ・ヴィンチ(上・下)』土方奈美訳(文藝春秋)
- 田辺清監修『図解ダ・ヴィンチの謎』(宝島社)

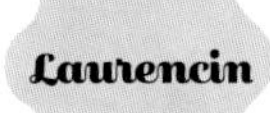

- 『マリー・ローランサン作品集』(マリー・ローランサン美術館)
- 『夜の手帖 マリー・ローランサン詩文集』大島辰雄訳(六興出版)
- フロラ・グルー『マリー・ローランサン』工藤庸子訳(新潮社)
- 永井龍之介監修『名画の中の恋人たち』(池田書店)

- 岡倉天心『英文収録 茶の本』桶谷秀昭訳(講談社学術文庫)
- アニタ・ポリッツァー『知られざるジョージア・オキーフ』荒垣さやこ訳(晶文社)
- ローリー・ライル『ジョージア・オキーフ 崇高なるアメリカ精神の肖像』道下匡子訳(PARCO出版)

- クレール&ジョゼ・フレーシュ『ロートレック 世紀末の闇を照らす』千足伸行監修、山田美明訳(創元社)
- 高橋明也監修、杉山菜穂子著『もっと知りたいロートレック 生涯と作品』(東京美術)

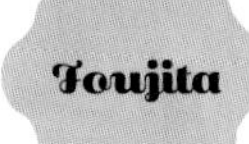

- キキ『モンパルナスのキキ』河盛好蔵訳(美術公論社)
- 藤田嗣治『腕一本』(講談社)
- 林洋子監修・著、内呂博之著『もっと知りたい藤田嗣治 生涯と作品』(東京美術)
- 近藤史人『藤田嗣治「異邦人」の生涯』(講談社文庫)

- イネス・ジャネット・エンゲルマン『ジャクソン・ポロックとリー・クラズナー』杉山悦子訳(岩波書店)
- キャサリン・イングラム『僕はポロック』岩崎亜矢監訳、木村高子訳(パイ インターナショナル)
- 『現代美術 第6巻 ポロック』(講談社)

- ジャン=ポール・クレスペル『岩波 世界の巨匠 モネ』高階絵里加訳(岩波書店)
- 木島俊介責任編集『アート・ギャラリー現代世界の美術1 モネ』(集英社)
- 杉全美帆子『イラストで読む印象派の画家たち』(河出書房新社)
- 高橋明也監修、安井裕雄著『もっと知りたいモネ 生涯と作品』(東京美術)

- 池上英洋『神のごときミケランジェロ』(新潮社)
- ジョルジョ・ヴァザーリ『ミケランジェロ・ブオナローティの生涯』林卓行監訳、西川知佐訳(東京書籍)
- ロマン・ロラン『ミケランジェロの生涯』蛯原徳夫訳(みすず書房)

- 矢内原伊作『アルバム ジャコメッティ』(みすず書房)
- 樋口覚『アルベルト・ジャコメッティ』(五柳叢書)
- 「芸術新潮」2006年7月号「特集ジャコメッティ アルプス生まれの全身芸術家」(新潮社)

本書は書き下ろしです。

ナカムラクニオ

1971年東京都生まれ。東京・荻窪の「6次元」主宰、美術家。日比谷高校在学中から絵画の発表をはじめ、17歳で初個展。現代美術の作家として山形ビエンナーレ等に参加。金継ぎ作家としても活動している。著書に『金継ぎ手帖』『猫思考』『村上春樹語辞典』『古美術手帖』『モチーフで読み解く美術史入門』『描いてわかる西洋絵画の教科書』『洋画家の美術史』『こじらせ美術館』などがある。

こじらせ恋愛美術館

2023年5月30日 第1刷発行

著者　ナカムラクニオ
発行人　清宮 徹
発行所　株式会社ホーム社
〒101-0051 東京都千代田区神田神保町3-29 共同ビル
電話 編集部 03-5211-2966
発売元　株式会社集英社
〒101-8050 東京都千代田区一ツ橋2-5-10
電話 販売部 03-3230-6393（書店専用）
読者係 03-3230-6080

印刷所　凸版印刷株式会社
製本所　ナショナル製本協同組合

ブックデザイン　望月昭秀＋林真理奈（NILSON）
装画・挿絵　ナカムラクニオ

KOJIRASE LOVE MUSEUM

ISBN978-4-8342-5372-6 C0095